Exerçons-nous

Révisions 3

350 exercices
Niveau avancé

CORRIGÉS

Ross STEELE, Jane ZEMIRO

HACHETTE
Français langue étrangère

http://www.fle.hachette-livre.fr

Dans la même collection

Exerçons-nous

Titres parus ou à paraître

Pour chaque ouvrage, des corrigés sont également disponibles.

- **Grammaire** (350 exercices)
  - *niveau débutant (**nouvelle édition**)*
  - *niveau moyen (**nouvelle édition**)*
  - *niveau supérieur I*
  - *niveau supérieur II*

- **Conjugaison** (350 exercices)

- **Révisions** (350 exercices)
  - *niveau 1*
  - *niveau 2*
  - *niveau 3*

- **Vocabulaire** (350 exercices)
  - *Vocabulaire illustré niveau débutant*
  - *Vocabulaire illustré niveau intermédiaire*
  - *niveau avancé*

- **Phonétique** (350 exercices) **avec 6 cassettes**

Grammaire du Français

Cours de Civilisation française de la Sorbonne

Y. Delatour, D. Jennepin, M. Léon-Dufour, A. Mattlé-Yeganeh, B. Teyssier

Pour découvrir nos nouveautés, consulter notre catalogue en ligne, contacter nos diffuseurs, ou nous écrire, rendez-vous sur Internet :

www.fle.hachette-livre.fr

Maquette de couverture : Version originale
Maquette intérieure : Joseph Dorly éditions
Dessins : Valérie Le Roux
ISBN : 2-01-017766-5
ISSN : 114 2-768 X
© HACHETTE LIVRE 1993, 43, quai de Grenelle - 75905 Paris Cedex 15

Sommaire

La mise en relief

FAÇONS DE DIRE

1
a. Aujourd'hui, j'ai un moral d'acier. / Ça va à merveille !
b. Je suis folle de joie ! / Je suis ravie. / C'est parfait.
c. C'est génial, ce poème ! / Oh, j'adore ça ! C'est délicieux.
d. Qu'est-ce que j'ai rigolé ! / C'est drôle !
e. Quelle bonne surprise ! / Eh bien, ça alors, je n'en reviens pas !
f. Ce n'est pas grave. / Comme vous voulez.

2
a. Je suis d'une humeur massacrante. / Je suis de mauvais poil ce matin.
b. J'en ai ras le bol. / Je suis indignée.
c. Ah non, ça suffit ! / C'est trop lent ! Plus vite !
d. J'ai le cafard. / Je ne sais pas ce que j'ai.
e. Ça m'ennuie. / Ça me casse les pieds !
f. Où peut-elle bien être ? / Ça m'inquiète vraiment.
g. Ça m'écœure. / Je trouve ça dégueulasse !
h. Quelle désillusion ! / Dommage !

3
a. – (oui) Ça va à merveille !
– (non) Je ne sais pas ce que j'ai.
b. – (oui) J'ai le cafard.
– (non) Aujourd'hui, j'ai un moral d'acier.
c. – (oui) Oh, j'adore ça ! C'est délicieux.
– (non) Ça m'écœure.
d. – (oui) J'en ai ras le bol.
– (non) Ce n'est pas grave.

4
a. Je suis de mauvais poil ce matin.
b. J'en ai ras le bol !
c. J'ai le cafard.
d. Ça me casse les pieds.
e. C'est génial, ce poème !
f. Je trouve ça dégueulasse.
g. Qu'est-ce que j'ai rigolé !

GRAMMAIRE

1
a. Édith Piaf, c'était une chanteuse très célèbre à son époque.
b. Ce jeune joueur de tennis, ce sera un champion un jour.
c. Tes photos, ce seront de vrais chefs-d'œuvre.
d. René et Jannick, c'étaient mes amis les plus fidèles.
e. Les roses rouges, ce sont les plus belles fleurs.

2
a. Oui, il est intéressant, mon travail !
b. Oui, il est bien écrit, son roman !
c. Oui, elle est spacieuse, ma/notre maison !
d. Oui, ils sont difficiles, vos enfants !
e. Oui, elles sont intéressantes, leurs idées !

3
a. Cette comédie, il l'a écrite l'année dernière.
b. Mes vacances, je les prendrai dans un mois.
c. Le jeu des comédiens, nous l'avons admiré.
d. Le journal, je l'achetais chaque matin.
e. Les auteurs, je les ai rencontrés au théâtre hier soir.
f. Ces nouvelles, il les a publiées récemment.

4
a. Ces tableaux précieux, il faut s'en occuper.
b. Cette cassette, j'en ai envie.
c. Ce musée, on s'en souviendra.
d. Ces conseils, nous en avons besoin.
e. Ces brochures inutiles, il faut s'en débarrasser.

5
a. C'est Bertrand qui a prononcé un éloge chaleureux l'invité d'honneur.
C'est un éloge chaleureux de l'invité d'honneur q prononcé Bertrand.
b. C'est ce sculpteur qui dessinera un monument ul moderne.
C'est un monument ultra-moderne que dessinera sculpteur.
c. C'est ce film étranger qui a obtenu la Palme D'o Cannes.
C'est la Palme d'or à Cannes qu'a obtenue ce fi étranger.
d. C'est François qui écrivait un livre de « série noir au moment de sa mort.
C'est un livre de « série noire » qu'écrivait François moment de sa mort.
e. C'est ce jeune pianiste qui compose une musique t originale.
C'est une musique très originale que compose jeune pianiste.
f. Ce sont ces deux villes qui ont instauré des échan, culturels très fructueux.
Ce sont des échanges culturels très fructueux qu' instauré ces deux villes.

6
a. C'est demain que je pense faire mes courses.
b. C'est dans deux jours que vous aurez vos billets.
c. C'est à Reims que j'ai grandi.
d. C'est en France que j'ai fait mes études.
e. C'est le week-end dernier que nous nous somm reposés.
f. C'est en Afrique que j'ai voyagé avec ma famille.
g. C'est en 1992 qu'ils se sont rencontrés.
h. C'est au Japon que j'ai rencontré mon mari.
i. C'est à trois heures qu'on aura terminé.
j. C'est aux Antilles que j'ai élevé mes enfants.
k. C'est le mois prochain qu'elle aurait préféré dén nager.
l. C'est là-bas que j'ai passé mes jours les plus heure

a. Toi, tu as quitté ton pays pour connaître d'autres horizons.
b. Lui, il part à l'étranger pour faire du tourisme.
c. Elle, elle parcourra l'Europe du nord au sud.
d. Nous, nous allions dans le Midi de la France pour les festivals d'été.
e. Eux, ils ont passé un mois en Irlande l'été dernier.

---

a. C'est moi qui voudrais avoir le rôle principal.
b. C'est vous qui préparerez le programme demain.
c. C'est toi qui portais un béret basque.
d. C'est lui qui met en scène des spectacles très amusants.
e. C'est nous qui allons faire un reportage sur la soirée.
f. C'est nous qui avons rédigé l'histoire de ce village.
g. C'est toi qui as publié un document extraordinaire.
h. C'est vous qui avez écrit ce magnifique poème.
i. C'est elle qui a cherché la source des références.
j. C'est moi qui ai illustré le texte du livre.
k. C'est moi qui suis restée à la gare.
l. C'est elle qui est partie dans un taxi.
m. C'est vous qui êtes arrivée juste avant moi.
n. C'est toi qui es allé préparer les boissons.
o. C'est nous qui nous sommes couchés très tard.

---

a. C'est toi que je remercie beaucoup.
b. C'est moi qu'il salue rarement.
c. C'est notre fille que nous n'avons pas souvent vue, cet été.
d. Ce sont les frères Roussel que vous n'avez pas connus ?
e. Ce sont eux que tu ne trouves pas drôles ?

---

a. C'est à Mireille que je demande de choisir le restaurant.
   C'est à elle que je demande de choisir le restaurant.
b. C'est à Jacques qu'elle propose de venir.
   C'est à lui qu'elle propose de venir.
c. C'est à toi que je vais confier un secret.
d. C'est à vous que nous écrirons en premier.
e. C'est à nous que vous racontiez toujours vos vacances, au retour.

---

a. Ce qui me rend nostalgique, c'est la vue des bateaux au loin.
b. Ce qui nous fait rêver, c'est le vol des oiseaux.
c. Ce qui les surprend, c'est le cri de l'enfant sur la plage.
d. Ce qu'ils vont chercher, c'est la maison idéale.
e. Ce que vous n'acceptez pas, c'est le point de vue des autres.
f. Ce que tu ne comprendras jamais, c'est mon besoin de détente.

---

a. Ce dont tu as vraiment peur, c'est de la maladie.
b. Ce dont ils ont surtout besoin dans ce pays, c'est de l'aide alimentaire.
c. Ce dont vous avez particulièrement horreur, ce sont des exercices de grammaire.

---

d. Ce dont on se souvient le plus souvent, c'est des bons moments.
e. Ce dont elle s'occupe réellement dans ce service, c'est des relations commerciales.

13
a. Il arrivait d'autres invités.
b. Chaque jour il arrive un important courrier.
c. Il manque beaucoup d'employés ce matin.
d. Il restait encore quelques spectateurs dans la salle.
e. Il reste peu de temps aux comédiens pour se préparer.
f. Il circule des bruits sur les raisons de leur séparation.

MISE EN PLACE

1
Vos devoirs, vous les avez finis ?
Vos jouets, vous les avez ramassés ?
Votre chambre, vous l'avez rangée ?
Les chocolats, vous les avez tous mangés !
Ces émissions stupides, vous avez besoin de les regarder !
La télévision, on la regardera plus tard !
Le couvert, vous pouvez le mettre tout de suite !

2
– C'est en juin que sortira mon prochain film.
– C'est au mois de septembre que j'ai commencé le tournage du film.
– C'est à Cannes qu'on le présentera pour la première fois.
– Moi, je le trouve assez dramatique.
– Oui, c'est moi qui ai découvert les origines de cette histoire.
– Lui, il n'a pas compris le film.
– C'est le départ en bateau qui a été le plus beau moment du tournage.
– C'est la maladie de l'actrice principale qui a été le moment le plus difficile.
– Ce que je redoute comme réaction de la part du public, c'est le refus d'y croire.
– Ce dont j'ai le plus peur dans la vie, c'est de l'avenir incertain de mon métier.

3
Réponses possibles :
a. Ah non ! J'en ai assez ! Le bruit, ça augmente sans cesse. Et la circulation, c'est incroyable, c'est sur les trottoirs qu'ils garent leurs voitures maintenant ! Et puis c'est les petites rues qui sont bloquées par les camions de livraison, quelle pollution !
b. Ça m'inquiète vraiment ! Ces voitures, il faut s'en débarrasser à tout prix. Le calme, la liberté de mouvement pour les enfants, tout cela a disparu. La construction de l'avenue, moi, je n'y crois plus.
c. Oui, il a de l'avenir, notre quartier ! C'est excellent, ce projet ! La mairie a toute notre confiance. Moi, le quartier, je l'aime comme ça, très animé. Beaucoup de circulation, ça signifie quoi ? Beaucoup de clients !
d. Ce n'est pas grave comme problème. C'est aux reponsables qu'il faut faire confiance ! Eux, ce sont des gens sérieux et compétents. Ce qui est certain, c'est que l'avenue va être construite.

Les indéfinis

FAÇONS DE DIRE

1
a S ; b A ; c D ; d A ; e A ; f S ; g A ;
h D ; i A ; j S ; k A ; l D ; m A ; n D ; o D.

2
a. 2, 5, 9, 12, 16, 19.
b. 3, 6, 8, 11, 15, 21.
c. 7, 13, 14, 17, 23.
d 1, 4, 10, 18, 20, 22.

3
a. Inviter : D, D, F, S.
b. Accepter : D, S, D, F.
c. Refuser : S, D, D, F.
d. Remercier : D, S, F, D.
e. Prendre rendez-vous : F, S, D, S
f. Reporter un rendez-vous : D, S, F, D.
g. Entrer en contact : S, D, F.
h. Présenter quelqu'un : S, F.
i. Se présenter : F, D.
j. Accueillir : D, F, F, S.
k. Prendre congé : F, D, D, S.

GRAMMAIRE

1
a. Il y avait quelqu'un pour t'accueillir ce matin ?
b. Vous avez eu quelque chose à manger aujourd'hui ?
c. Il resterait encore quelque chose du repas de midi ?
d. Quelqu'un a laissé un mot pour vous sur la porte.
e. Il faudrait demander à quelqu'un où se trouve le centre.
f. Il y a quelqu'un d'intéressant dans ton groupe ?
g. Tu as acheté quelque chose d'utile ?
h. Vous avez fait quelque chose de beau ?
i. A-t-elle vu quelqu'un d'important à la mairie ?
j. Ont-ils quelque chose à dire là-dessus ?

2
a. Prenez quelques jours de vacances, cela vous fera du bien.
b. Je vous signale quelques-uns de ses problèmes.
c. Vos invités savent jouer aux cartes ? Oui, quelques-uns.
d. Nous avons choisi quelques jeux amusants pour les enfants.
e. Choisissez quelques-unes de vos meilleures recettes pour la fête.
f. Vos amis viennent ce soir ? Oui, il y en aura quelques-uns.
g. Vous avez invité vos amies ? J'en ai invité quelques-unes.
h. Il reste encore des places pour la réunion ce soir ? Oui, il en reste quelques-unes.
i. Vous avez averti les employés ? Oui, j'en ai averti quelques-uns.

3
a. Vous avez rencontré ses associés ? J'en ai renco[ntré] quelques-uns ; certains travaillent dans mon bureau.
b. Connaissez-vous ces personnes ? Oui, j'en con[nais] quelques-unes ; certaines sont même des amies.
c. Est-ce qu'ils ont trouvé tous les documents ? Ils en [ont] trouvé quelques-uns ; certains sont déjà perdus.
d. Les enfants ont entendu ces histoires ? Ils en ont ente[ndu] quelques-unes ; certaines n'étaient pas convenables.
e. Que pensez-vous de ses articles ? J'en ai lu quelqu[es-] uns ; certains me semblent même excellents.

4
a. La plupart des candidats éprouvent une certa[ine] anxiété avant les examens.
b. La majorité de la population estudiantine est fa[vo]rable à la réforme des examens.
c. La plupart des concurrents semblent mal se prépar[er].
d. La majorité des employés de la faculté ne partage[nt] cette opinion.
e. La plupart des professeurs ne manifestent pas d'enth[ou]siasme à ce propos.

5
a. Il y avait des prix pour chaque élève.
b. La maîtresse faisait l'éloge de chacun des participa[nts].
c. Les filles étaient là, chacune avait pris sa place dan[s la] classe.
d. Chaque jour on peut les voir dans la cour de l'écol[e].
e. Il distribue des bulletins à chacun des jeunes garço[ns].
f. Il pleurait chaque fois qu'on l'interrogeait.
g. Chacun faisait ce qui lui plaisait en classe.
h. Que chacun s'occupe de ce qui le regarde !

6
a. Elle n'avait aucune idée du risque.
b. Ils n'ont rien compris à ses paroles.
c. Aucune possibilité ne s'est présentée.
d. Pas un seul sportif n'est à l'abri de ces risques.
e. Vous n'avez aucun espoir de le sauver.
f. Je n'ai rien d'autre à dire.
g. Pas un seul enfant n'a voulu participer.
h. Personne ne nous avait jamais parlé comme ça.
i. Elle a perdu sa valise et n'a plus rien à se mettre.

7
a. Elle ferait n'importe quoi pour leur faire plaisir.
b. N'importe qui a le droit d'entrer ici !
c. Les animaux font n'importe quoi dans la maison.
d. Attention à ce monsieur : ce n'est pas n'importe qui.
e. On ne donne pas n'importe quoi à boire aux enfants.
f. Je ferais n'importe quoi pour éviter cette éventualité.
g. Ils sortiraient avec n'importe qui.

8
a. Je devais le faire à n'importe quel prix.
b. Vous pourriez le mettre dans n'importe quelle catégor[ie].
c. Ces billets ont la même valeur, tu peux utiliser n'i[m]porte lequel.
d. Les trois feuilles sont similaires ; vous pouvez pren[dre] n'importe laquelle.

e. On trouve à manger à n'importe quelle heure ici.
f. N'importe laquelle de ces propositions fera l'affaire.
g. Les deux ordinateurs ont la même puissance, servez-vous de n'importe lequel.

---

a. Le père de famille travaille tout le temps, il est rarement chez lui.
b. La mère reste toute la journée à la maison à s'occuper de tout.
c. Les enfants rentrent tous les jours à midi pour le déjeuner.
d. Toutes les courses et tous les repas sont faits pour eux.
e. Tout ce travail laisse peu de temps à la mère pour ses propres distractions.
f. Elle ne sort pas toutes les fois qu'elle voudrait.
g. Et c'est comme ça pendant toute l'année !

---

a. Oui, il l'ont tous attrapée !
b. Oui, elle en rêvent toutes !
c. Oui, ils le sont tous !
d. Oui, ils l'ont tous bien préparé !
e. Oui, ils y sont tous allés !

---

a. Il parle de lui à tout propos.
b. La voiture s'avançait à toute vitesse.
c. Les deux textes sont semblables en tous points.
d. Soyez prudents en toutes circonstances.
e. Restez alertes en tous lieux et à toute heure.

---

a. Mon grand-père est tout fier de son jardin.
b. Ma tante est toute surprise de notre arrivée.
c. Les employés sont tout satisfaits de leurs nouveaux horaires.
d. Mon frère aîné est tout ému par la nouvelle.
e. Mes sœurs sont toutes contentes de partir à l'étranger.
f. Ma mère est tout heureuse d'être entourée par sa famille.
g. La photographe est toute déçue d'avoir raté le reportage.

Toute la famille était là pour le réveillon. Il y avait les grands-parents, des deux côtés, tous les cousins, toutes les cousines, ensemble pour la première fois depuis cinq ans. Ils étaient tous très heureux. Tout s'est bien passé jusqu'à l'entrée du Père Noël. À ce moment-là, la plus jeune, bouleversée par tout le spectacle, s'est mise à crier. Tout le monde a essayé de la calmer. C'est l'étoile, tout en haut de l'arbre de Noël, qui a fait le miracle. Les enfants attendaient leurs cadeaux : tous avaient l'air tout excités. Mais comment les surveiller ? François a retrouvé son cadeau et en un clin d'œil il l'avait tout défait. Tout de suite après on a laissé tomber des chocolats par terre, et c'est le chien qui les a tous mangés.

---

a. Cet homme, je l'ai déjà vu quelque part.
b. Comme mes voisins habitent maintenant ailleurs, je ne les vois plus.
c. Vous pouvez le mettre n'importe où, cela n'a pas d'importance.
d. Les clochards n'habitent nulle part.
e. L'or n'est pas ici, il faut chercher ailleurs.
f. On a beau chercher la clé, on ne la trouve nulle part.
g. Ne vous asseyez pas n'importe où sur cette herbe.

15

	T	L	M
a. Où sont-elles ? → Quelque part.		✗	
b. Comment gagnes-tu ta vie ? → N'importe comment.			✗
c. Il les ont cachés ici ? → Non, ailleurs.		✗	
d. Elle pourra y remédier ? → D'une façon ou d'une autre.			✗
e. Où allez-vous ? → Nulle part.		✗	
f. Tu penses à moi ? → À chaque instant.	✗		
g. Il compte la suivre ? → N'importe où.		✗	
h. On s'est compris ? → En un certain sens, oui.			✗
i. Il se sont revus ? → Quelquefois.	✗		

16
a. Ils n'habitent plus à Genève, ils habitent ailleurs.
b. Elle loue un appartement quelque part dans le septième arrondissement.
c. Quelques acrobates ont répondu à l'annonce.
d. Je lui ai téléphoné quelquefois.
e. Quand pouvons-nous partir ? À n'importe quelle heure.
f. Il est étourdi, il dit n'importe quoi.
g. Accepteriez-vous de travailler n'importe où ?
h. Elle s'habille n'importe comment.

17
a. Je ne dors pas du tout en été.
b. Ils s'amusent beaucoup.
c. Tu fumes trop pour être en forme.
d. Vous voyagez assez souvent en ce moment.
e. Elles ne sortent guère par cette chaleur.
f. Il ne travaille pas assez.

Par ordre d'intensité
1 c ; 2 b ; 3 d ; 4 f ; 5 e ; 6 a.

18
a. Cette pièce n'est pas du tout claire.
   Cette pièce est très peu claire.
   Cette pièce n'est pas assez claire.
b. Elle ne voit pas du tout ses amis.
   Elle voit peu ses amis.
   Elle ne voit pas assez ses amis.
c. Il ne fait pas du tout froid.
   Il fait à peine froid.
   Il ne fait pas assez froid.
d. Le travail n'est pas du tout satisfaisant.
   Le travail est (très) peu satisfaisant.
   Le travail est presque satisfaisant.
e. Ils ne s'aiment pas du tout.
   Ils s'aiment très peu.
   Ils ne s'aiment pas assez.
f. Nous ne sommes pas du tout bien installées.
   Nous sommes mal installées.
   Nous ne sommes pas assez bien installées.

19
a. Je n'irai ni à Paris ni à Honfleur.
b. Nous n'avons ni le temps ni la volonté pour réussir.
c. Vous ne prendrez ni le train ni la voiture.
d. En cette saison, tantôt il neige, tantôt il gèle.
e. Tantôt ils se révoltent, tantôt ils se résignent.
f. Tantôt elle parle trop, tantôt elle ne dit rien.

20
a. Non seulement elle rentre tard, mais en plus elle met fort sa radio.
b. Non seulement il a pris la voiture de son père, mais en plus il a eu un accident.
c. Non seulement il fait des heures supplémentaires, mais en plus il n'est pas payé.
d. Non seulement ils ont cassé les vitrines, mais en plus ils ont pillé le magasin.

MISE EN PLACE

1
– N'importe quoi.
– N'importe où.
– Avec n'importe qui.
– Peu importe.
– Ça m'est égal.
– N'importe lequel.

2
a. Des cambrioleurs ont attaqué une banque en pl nuit.
Les policiers sont partis à leur poursuite à toute vite
Les cambrioleurs se sont enfuis en directio Marseille.
Les malfaiteurs ont heurté un camion en directio Marseille.
Le camion a freiné brutalement.
Il s'est renversé au milieu de la chaussée.
Les policiers ont attrapé les voleurs sans perdre temps.
b. Réponse personnelle

3
Réponses possibles :
La plupart des personnes interrogées ne font pas de sp
La majorité d'entre elles est satisfaite de son travail.
Certains aiment le quartier où ils habitent.
Beaucoup pensent que l'amour est important pour heureux.
Presque toutes les personnes interrogées ont répond sondage.
Presque aucune personne interrogée ne fait du sport.
Peu de gens souhaiteraient vivre à l'étranger.

UNITÉ 3

Les propositions relatives, la comparaison

FAÇONS DE DIRE

1
a. C'est lumineux. / C'est fleuri. / Ça brille. / C'est éclatant. / C'est éblouissant.
b. C'est savoureux. / C'est piquant. / C'est amer. / C'est succulent. / C'est épicé.
c. C'est puant. / C'est âcre.
d. C'est mélodieux. / C'est sonore. / Ça retentit. / C'est très sourd.
e. C'est soyeux./ C'est rêche./ C'est doux. / C'est lisse.

2
1 d ; 2 e ; 3 g ; 4 b ; 5 i ; 6 c ; 7 a ; 8 f ; 9 h.

3
a. La réunion est reportée à demain.
b. On ne me l'a jamais présentée.
c. Servez-vous du téléphone dans mon bureau.
d. Il ne sera pas de retour avant trois heures.
e. Ton fils a pris la voiture pour aller voir ses copains.
f. Ils savent tout.
g. Elle s'achète une voiture de sport.
h. Je ne suis jamais à court d'idées.

4
a. Explique-moi comment tu fais cette sauce.
b. Comment est-ce que je dois me soigner ?
c. Pour prévenir quand on se sent en danger, que faut-il faire ?
d. À votre avis, si on trouve un magnétoscope d'occasion à acheter, quelle est la marche à suivre ?
e. Comment faire pour y aller ?
f. Je la raccourcis ou pas ?
g. Comment savoir si mes amis sont dans cet hôtel ?
h. Tu veux me montrer comment ça marche ?

GRAMMAIRE

1
a. Je te propose cet itinéraire, celui que j'ai préparé l soir.
b. Tu as trouvé les brochures, celles dont le guide n a parlé ?
c. Vous connaissez cette carte, celle qui présente routes de tout le pays ?
d. Voici les plans, ceux dont tu as besoin pour t'orier dans la ville.
e. Je déteste ces touristes, ceux qui parlent pendant visites guidées.
f. J'ai mieux aimé la première visite, celle qui a d trois heures environ.
g. Où sont les valises, celles qu'on a achetées pour voyage ?
h. Il faut absolument voir ce monument, celui dont o tant entendu parler.

2
a. Regardez ces photos sur lesquelles on voit la famille vacances.
b. Voilà les amis avec qui nous avons passé nos vacan d'été.
c. C'était une superbe plage sur laquelle il n'y av personne.

d. Au premier plan on reconnaît le pêcheur à qui on a loué un bateau.

e. Et aussi, une mer dans laquelle on se baignait chaque jour.

f. Vous voyez ce kiosque vers lequel Pierre est en train de se diriger ?

g. Et puis le chien tout mouillé auquel il a donné la glace qu'il avait achetée ?

h. Les vagues ramenaient des coquillages sur lesquels on a marché pieds nus.

i. Heureusement, il y avait des planches à voile avec lesquelles on s'est amusés.

j. Au-dessus volaient des mouettes auxquelles nous avons donné du pain.

k. Il y avait des petits enfants à qui nous avons prêté nos jouets de plage.

l. C'étaient des enfants de la ville pour qui ces vacances représentaient un plaisir assez rare.

m. Merci à nos amis sans qui nous n'aurions pas trouvé cette plage magnifique !

---

a. On restaure le château à côté duquel se trouve une chapelle romane.

b. Ces tableaux ont été peints par un artiste italien dont j'ai oublié le nom.

c. Cette statue, dont l'original se trouve au musée du Louvre, est signée Rodin.

d. Les sommets en haut desquels nous sommes montés offrent un magnifique panorama.

e. Je visiterai tous les monuments dont les guides recommandent la visite.

f. Nous traversions de petites villes au centre desquelles se trouvaient immanquablement l'église, l'hôtel de ville et la boulangerie ou le café.

g. Il aimait cette rivière, au bord de laquelle il venait peindre ou dessiner chaque jour.

h. Elles ont été très déçues par cet hôtel dont on leur avait pourtant dit grand bien.

---

a. Le passager bavard à côté de qui elle était assise n'arrêtait pas ses commentaires.

b. Le passager dont on ne pouvait supporter les commentaires est finalement descendu.

c. Excusez ces enfants à cause de qui nous avons failli manquer le bus.

d. Les musiciens dont tout le monde se souvenait ont donné un récital merveilleux.

e. Les amateurs de musique en face de qui le violoniste jouait écoutaient avec un plaisir évident.

---

a. Vous souffrez de cette chaleur, à cause de laquelle se mettent à chanter les cigales.

b. La foire a attiré des spectateurs nombreux au milieu desquels se glissent des voleurs attentifs.

c. Le passage au bout duquel nous habitons est ouvert aux piétons.

d. Dans le square il y a un kiosque près duquel on peut s'asseoir.

e. Ces cérémonies traditionnelles dont j'ai parlé dans mon livre existent encore de nos jours.

f. On aime bien les fêtes grâce auxquelles les gens se réunissent et se connaissent mieux.

g. Ces coutumes dont on reconnaît la nécessité remontent loin dans le passé.

6
a. Vous pouvez nous dire ce que vous comptez voir ici ?

b Allons voir ce qui se passe en ville aujourd'hui.

c. Il faudra voir tout ce dont ils sont si fiers dans ce village.

d. La danse folklorique ? C'est ce qui m'attire dans cette région.

e. Les enfants ont enfin fait du cheval, ce dont ils avaient parlé toute l'année.

f. Un mauvais été ! C'est ce que je crains le plus en vacances.

g. Ce sont de braves gens : donnez-leur ce dont ils ont besoin.

7
a. À droite il y a le camping où il y a tant de monde en été.

b. On a fait une belle moisson en ce mois d'automne où la chaleur était intense.

c. Le café a une terrasse où on peut prendre l'apéritif.

d. Le centre-ville est entouré de grands jardins où ils ont installé des bancs de pierre.

e. On traverse le fleuve par un pont d'où on voit les montagnes.

f. Je me rappelle parfaitement cette soirée de printemps où ma sœur a annoncé ses fiançailles.

g. Il était arrivé au sommet du col d'où on dominait le paysage.

8
a. Elle n'a jamais revu la maison où elle est née.

b. Ils cherchaient le carrefour par où ils rejoindraient l'autoroute.

c. Comme fleurs, plantez plutôt celles qui vont durer tout l'été.

d. C'étaient nos correspondants dont on avait perdu toute trace.

e. Il faut nous expliquer ce qui vous a déplu.

f. Nous ne comprenions pas ce que cela voulait dire.

g. Redites-moi ce dont nous avions parlé ensemble.

h. On montait au sommet d'une tour d'où on pouvait voir toute la ville.

i. C'est une personne sérieuse pour qui j'ai beaucoup d'estime.

j. Elle avait apporté un jeu amusant sans lequel le voyage aurait été très ennuyeux.

k. Nous avons vu le site sacré, près duquel le guide s'est arrêté.

l. C'était une longue séance pendant laquelle je me suis endormi.

m. Parlez-nous de ces héros dont on raconte tant les exploits.

9
a Quelqu'un était assis sur ce banc que le détective observait.

b. Ce sont des détails sans intérêt qu'il a voulu discuter.

c. Montrez-nous la voiture dont l'achat doit rester un secret.

d. On a interviewé cette femme courageuse pour qui j'ai beaucoup d'estime.

e. La foule ne cesse de dévisager cet homme en face de qui des policiers se sont rangés.

f. Les réactionnaires dénoncent la réforme de la loi pour laquelle je me bats.

g. Ne mangez pas cette tarte qu'elle a préparée pour le souper.

h. Hier le directeur a fait une constatation provocante sur laquelle il aimerait revenir.

i. Faites venir le médecin dont je vous ai donné le nom.

10

a. Je connais quelqu'un qui sait faire des caricatures.

b. Je ne connais personne qui sache faire des caricatures.

c. Il propose quelque chose qui peut vous aider.

d. Il ne propose rien qui puisse vous aider.

e. L'entraîneur sélectionne tous les joueurs qui ont la volonté de gagner.

f. L'entraîneur n'a trouvé personne qui veuille céder sa place dans l'équipe.

g. Les spectateurs attendent quelque chose qui soit assez spectaculaire pour indiquer la supériorité de l'une des équipes.

11

a. Connaissez-vous un endroit où on puisse nager et pique-niquer ?

b. Je connais un endroit où on peut faire des jeux en plein air.

c. Y a-t-il un magasin où cette carte de crédit soit reconnue ?

d. Il y a plusieurs magasins où cette carte de crédit est reconnue.

e. Y a-t-il ici quelqu'un qui sache donner les premiers secours ?

f. Il y a parmi la foule plusieurs personnes qui savent secourir les blessés.

g. Pourriez-vous m'indiquer un médicament qui ne fasse pas mal à l'estomac ?

h. Il y a un nouveau remède qui guérit rapidement les maux d'estomac.

12

a. En général, l'homme est plus robuste que la femme.

b. Mais la femme est plus résistante que l'homme.

c. Cette ville balnéaire est moins peuplée en hiver qu'en été.

d. Cet enfant est plus timide que son frère.

e. Un train express est moins rapide que le TGV.

13

a. Il y a moins d'espaces verts en ville qu'à la campagne.

b. J'ai autant de travail cette année que l'année dernière.

c. Vous avez plus de chance que moi.

d. On éprouve moins de plaisir à lire qu'à aller au cinéma.

e. Il a moins d'argent que vous.

f. On trouve plus de jeux de société pour adultes que pour enfants.

14

a. Les enfants aiment plus la plage qu'avant.

b. Les adultes ont moins le sens du devoir qu'avant.

c. Les célibataires défendent leur indépendance autant qu'avant.

d. Nous regardons plus souvent la télévision qu'avant.

15

a. Plus ils travaillent, plus ils se sentent fatigués.

b. Plus vous me flattez, moins je vous crois.

c. Autant j'ai aimé le livre, autant j'ai détesté le film.

d. Plus elle voyage, plus elle a envie de voyager.

e. Moins tu es gentil, plus tu me mets en colère.

f. Autant il apprécie la musique, autant il est insensible à la peinture.

16

a. Oui, elles coûtent de plus en plus cher.

b. Non, elle sort de moins en moins souvent.

c. Oui, elles sont de plus en plus pénibles.

d. Oui, elle en lit de plus en plus.

e. Non, il y en a de moins en moins.

17

a. Un tel esprit est plutôt rare.

b. Une telle erreur n'est pas acceptable.

c. De tels commentaires font plaisir à entendre.

d. De telles méthodes vont gâcher le travail.

e. Un tel effort vaut bien une récompense.

f. Une telle attitude me fait de la peine.

g. Il rêvait de devenir un écrivain tel que Balzac.

h. Une romancière telle que Duras méritait bien le p[rix] Goncourt.

i. Un peintre tel que Matisse ne laisse personne indi[ffé]rent.

j. Des poètes tels que Prévert et Aragon sont très po[pu]laires en France.

k. Des chanteuses telles que Piaf et Gréco ne ser[ont] jamais démodées.

l. Il admirait des cinéastes tels que Godard et Rohmer.

MISE EN PLACE

1

Le père Noël, c'est celui qui apporte des jouets pour [les] enfants.

Un dentiste, c'est quelqu'un dont on a souvent peur.

Marianne, c'est une femme célèbre : celle qui symbol[ise] la République française.

Descartes est un philosophe dont la réputation est u[ni]verselle.

Un ballon c'est un objet avec lequel on joue.

Un stade, c'est un endroit où on s'entraîne.

Une chambre, c'est une pièce dans laquelle / où on dort.

La guitare et l'accordéon sont des instruments avec l[es]quels on fait de la musique.

2

Cette femme dont j'ai oublié le nom se spécialise [en] médecine pour enfants.

L'architecte dont on a tant parlé a ses bureaux ici.

Le programme dont j'ai parlé est à la une ce soir.

La revue dont j'ai noté la référence ne paraît plus.

Les livres que j'écris traitent tous du même thème.

La maison où j'habite est dans un quartier très bruyant.

Je connais quelqu'un qui est expert dans ce domaine.

La date à laquelle je dois partir est inscrite dans m[on] carnet.

N'hésitez pas à prendre ce dont vous avez besoin.

La ville d'où je vous téléphone est dans le Midi.

Le vieil ordinateur avec lequel je compose mes tex[tes] m'est précieux.

Ce à quoi je pense c'est mon voyage en Grèce.

3

Quelque chose dont j'ai envie, c'est...

Quelqu'un qui est très important pour moi, c'est...

La personne que j'admire beaucoup...

La personne dont je m'inspire...

Les gens avec qui je travaille...

Les astuces avec lesquelles je me débrouille...

Tests d'auto-évaluation 1-3

UNITÉ 1

1. Elle
2. Elles
3. Elles
4. Tes lettres
5. les
6. le
7. les
8. vue
9. notées
10. t'en
11. s'en
12. qu'
13. que
14. qu'
15. que
16. que
17. qui
18. que
19. qu'
20. qui
21. que
22. suis
23. faites
24. as
25. sommes
26. à lui
27. à toi
28. Ce dont
29. Ce qui
30. Ce que
31. Il arrive
32. Il reste

UNITÉ 2

33. quelque chose
34. quelques
35. quelques
36. beaucoup
37. certains
38. Rien
39. Aucun
40. personne
41. Aucun
42. Pas un
43. n'importe quoi
44. n'importe quel
45. N'importe qui
46. n'importe lesquels
47. n'importe quoi
48. n'importe où
49. nulle part
50. quelque part
51. n'importe où
52. tout
53. toute
54. tous
55. toutes
56. tous
57. tous
58. toutes
59. La plupart / n'aiment pas
60. Chaque
61. Chacune
62. Chacun
63. Certains
64. ni ... ni
65. soit ... soit
66. Non seulement

	Quand ?	Où ?	Comment ?
67. La saison a été belle	cette année	dans notre région	
68. Nous sommes partis	un jour	pour la campagne	en voiture
69. Chacun s'amusait		dans les champs	à sa manière
70. Certains se sont baignés	pendant des heures	dans la rivière	
71. D'autres ont fait des excursions		dans la forêt de pins	à pied
72. De gros nuages se sont amassés	vers 5 heures	sur l'horizon lointain	
73. On a dû rentrer	une heure plus tard		à toute vitesse

UNITÉ 3

74. ceux
75. celle
76. ceux
77. celui
78. celles
79. celle
80. dont
81. qui
82. laquelle
83. lesquels
84. dont
85. qui
86. que
87. Ce qui
88. Ce dont
89. Ce dont
90. de
91. que
92. que
93. de
94. Plus ... plus
95. Plus ... moins
96. Autant ... autant

Les constructions verbales

FAÇONS DE DIRE

1
a. N'hésitez pas à m'appeler en cas de besoin.
b. Tu pourrais me prêter cinq cents francs ?
c. Rapportez-moi les dossiers sur l'entreprise Dubois, s'il vous plaît.
d. Voulez-vous me taper ces lettres ?
e. Va me chercher du pain pour le déjeuner.
f. Tu veux bien m'aider à faire mon devoir de maths ?

2
a. Il vaut mieux que tu y ailles.
b. Vous devriez insister.
c. Reposez-vous un peu.
d. À ta place, je dirais oui.
e. Tu ferais mieux de prolonger ton séjour.
f. Calme-toi, je t'en prie !
g. Je n'y manquerai pas.
h. Désolé, je n'ai pas le temps.

3
a j ; b f ; c g ; d h ; e i.

4
a 3 ; b 4 ; c 1 ; d 5 ; e 2.

5
1 c ; 2 a ; 3 c ; 4 c ; 5 c ; 6 a ; 7 b ; 8 b.

GRAMMAIRE

1
a. la joie de vivre
b. une salle à manger
c. une machine à laver
d. le besoin de créer
e. la peur de s'engager
f. un couteau à découper
g. un album à colorier
h. la liberté de penser

2
a. Je préfère en louer un autre.
b. Il préfère en prendre une autre.
c. Elles préféreraient en acheter d'autres.
d. Je préfère en lire d'autres.
e. Ils préfèrent en suivre un autre.
f. Elle préférerait en garder d'autres.

3
a. J'espère gagner au loto.
b. J'espère que vous gagnerez au loto.
c. Nous pensons nous reposer demain.
d. Nous pensons que tu te rendras compte de la situation.
e. Il promet de se rendre au carnaval.
f. Il dit que les enfants se rendront au carnaval.
g. Cela m'ennuie de rater le début de l'émission.
h. Cela m'ennuie que vous ratiez le début de l'émission.
i. Cela la gêne qu'il pleure.
j. Cela le gêne que nous pleurions.
k. Cela me vexe que tu ne comprennes pas.
l. Cela lui fait plaisir que nous acceptions l'invitation.

4
a. Je crois avoir deviné le résultat.
b. Vous avouez avoir changé d'idée !
c. Ils s'imaginent être admis au cours.
d. Elle est certaine d'être classée parmi les meilleures.
e. Je suis sûr d'avoir déjà rencontré cette personne.

5
a. Il la soupçonne d'être malade.
b. Nous les soupçonnons d'être amoureux.
c. Elle leur promet de les emmener au zoo.
d. Vous leur avez promis de les protéger.
e. Il la croit très habile.
f. Tu les croyais vraiment doués.
g. Vous l'imaginez déjà très riche.
h. Je l'espérais en meilleure santé.

6
a. Elle est contente d'avoir reçu de tes nouvelles.
b. Il est soulagé d'être rentré chez lui.
c. Ils sont fatigués de s'être promenés en ville.
d. Je suis heureuse d'avoir fait votre connaissance.
e. Tu n'es pas content d'avoir eu un accident.
f. Nous ne sommes pas satisfaits d'avoir perdu le procès.
g. Ils ne sont pas fiers de s'être trompés.
h. Il est désolé de vous avoir fait de la peine.

7
a. Elle fait apporter le courrier.
b. Il fait annoncer les augmentations de salaire.
c. Elles font préparer les bagages.
d. Ils font appeler un taxi.
e. Il fera expliquer la nouvelle organisation par le directeur du personnel.
f. Vous ferez envoyer le produit par l'employé.
g. Nous ferons traduire le document par l'interprète.
h. Il l'a fait venir.
i. Elle les a fait entrer.
j. Il ne les a pas fait rire.
k. Ils ne les ont pas fait attendre.
l. Nous ne l'avons pas fait partir.

8
a. Ils se font entendre.
Ils se sont fait entendre.
b. Elle se fait soigner efficacement.
Elle s'est fait soigner efficacement.
c. Tu te fais servir dans la chambre.
Tu t'es fait servir dans la chambre.
d. Vous vous faites remarquer.
Vous vous êtes fait remarquer.
e. Nous nous faisons couper les cheveux.
Nous nous sommes fait couper les cheveux.
f. On se fait arrêter par la police.
On s'est fait arrêter par la police.

a. Pour faire construire une maison, nous avons acheté un terrain.
b. Avant de faire construire une maison, nous avons consulté un architecte.
c. Après avoir restauré la maison, nous avons décidé de la vendre.
d. Avant d'organiser un voyage, il a téléphoné à une agence de tourisme.
e. Après avoir lu le schéma de fonctionnement, on a branché la télé.
f. Avant de comprendre le mode d'emploi, ils l'ont relu plusieurs fois.

10
a. Après être arrivés, nous avons rencontré toute la famille.
b. Après être revenus, ils ont bavardé jusqu'à minuit.
c. Après s'être embrassées, elles se sont séparées.
d. Après nous être disputés, nous nous sommes quittés.
e. Après vous être quittés, vous avez eu du chagrin.

11
a. Après être arrivées au centre-ville, ils ont cherché une quincaillerie.
b. Après avoir trouvé une quincaillerie, ils sont entrés dans le magasin.
c. Après être entrés dans le magasin, ils sont allés au rayon des outils de jardinage.
d. Après être allés au rayon des outils de jardinage, ils ont regardé les bêches.
e. Après avoir choisi leur bêche, ils ont appelé une vendeuse.
f. Après avoir appelé une vendeuse, ils se sont mis d'accord sur le prix.
g. Après s'être mis d'accord sur le prix, ils ont acheté l'outil.
h. Après avoir acheté l'outil, ils sont repartis heureux.

12
a. une réponse satisfaisante
b. une couleur brillante
c. un médicament tranquillisant
d. une idée étonnante
e. un personnage surprenant
f. un savon adoucissant
g une eau pétillante
h. une personne attirante

13
a. Les ingénieurs travaillant sur les nouveaux ordinateurs sont très occupés.
b. Le fonctionnaire remplissant la tâche de coordination est l'ingénieur Schnell.
c. Les biens répondant aux besoins du public se vendront vite.
d. On cherche une personne sachant rédiger des rapports.
e. Seules les personnes ayant une carte de membre seront admises au club.
f. Tous les passagers possédant une carte d'embarquement doivent se présenter porte C.
g. On recherche un enfant portant une veste rouge et un pantalon gris.
h. Seuls les étudiants finissant leurs devoirs à temps réussiront.

14
a. Connaissant le nombre de participants au concours, elle doutait de son succès.
b. Ayant plus de réserves que nos concurrents, nous nous sentions en sécurité.
c. Dormant à la belle étoile, on éprouvait un sentiment de paix.
d. Voulant finir ton livre, tu n'avais pas envie de sortir.
e. Étant sur les lieux, vous avez remarqué l'état du terrain.

15
a. Il gagnait sa vie en travaillant dans la sidérurgie.
b. Elles ont appris les langues en vivant à l'étranger.
c. Elle obtiendra un travail intéressant en faisant des études approfondies.
d. L'ouvrier a déplacé la voiture en utilisant un robot.
e. Nous aurons une augmentation des bénéfices en limitant les coûts de production.

16
a. On ne peut pas améliorer nos profits en perdant de l'argent.
b. Le chef du personnel lisait les dossiers de candidature en réfléchissant.
c. Elle a parlé avec sa collègue en attendant un coup de téléphone.
d. Nous allons lire le journal en buvant un café.
e. Je préparerai les brochures en attendant le retour de mon patron.

17
a. En y réfléchissant, vous trouverez une meilleure solution.
b. En se référant au modèle, elles auront moins de difficultés.
c. En permettant trop de constructions, on créera un quartier trop bruyant.
d. En t'instruisant, tu obtiendrais le diplôme nécessaire.
e. En prenant la voiture, j'arriverai beaucoup trop tôt.

18

	M	S	Ca	Co
a. Les ouvriers faisaient beaucoup de bruit en découpant des pièces en métal.	✗			
b. Connaissant leur mentalité, il hésitait à les interrompre.			✗	
c. En faisant des heures supplémentaires, ils ont gagné des primes.			✗	
d. Les ouvriers pointaient en arrivant et en quittant le travail		✗		
e. La direction a entrepris des changements en licenciant des cadres.	✗			
f. En introduisant des contrôles sévères, on pourra réduire ces pertes.				✗
g. Les ouvriers se saluaient en reprenant leur poste.		✗		
h. En réduisant les bénéfices, on pourrait sauver des emplois.				✗
i. Désirant augmenter la productivité, le directeur commence à installer des robots dans son entreprise.			✗	

MISE EN PLACE

1
D'abord on branche l'appareil.
Ensuite, vous coupez le pain en tranches.
Puis, vous laissez tomber le pain dans la fente.
Vous pouvez alors mettre en marche l'appareil.
Enfin, vous reprenez les tranches de pain grillé.
N'exposez jamais...
Tenez-le...
... assurez-vous que les fils...
Tournez toujours la commande du volume... lorsque vous mettez en marche...
... débranchez la prise de courant...
... coupez l'alimentation de l'amplificateur.
Puis recherchez la cause de l'incident...
... suivez les instructions du mode d'emploi.

2
a. Je l'ai fait réparer.
b. Je l'ai fait suivre.
c. Je l'ai fait signer.
d. Je l'ai fait traduire.
e. Je l'ai fait nettoyer.
f. Je les ai fait entrer.
g. Je l'ai fait reconduire chez lui.
h. Je l'ai fait fermer.
i. Je l'ai fait corriger.
j. Je l'ai fait changer.
k. Je les ai fait commander.
l. Je l'ai fait mettre à l'heure.

3
a. C'est en photographiant qu'on devient photographe.
b. C'est en dessinant qu'on devient dessinateur.
c. C'est en bricolant qu'on devient bricoleur.
d. C'est en cousant qu'on devient couturier.
e. C'est en peignant qu'on devient peintre.

UNITÉ 5

Le temps, la cause, la conséquence

FAÇONS DE DIRE

1
a. FA Prends ma voiture, si ça t'arrange.
   PO Tu veux que je te prête ma voiture ?
b. FA Ça vous dit qu'on se tutoie ?
   PO On pourrait se tutoyer, si vous voulez ?
c. FA Viens, on va au théâtre ?
   PO J'envisage d'aller au théâtre. Tu voudrais m'accompagner ?
d. FA Ça vous dirait de faire un voyage en Indonésie ?
   PO J'ai une proposition à vous faire au sujet d'un voyage en Indonésie.
e. FA C'est d'accord, on se voit pour étudier le projet ?
   PO Je propose d'organiser une réunion pour étudier le projet.
f. FA Je ne suis pas sûre de rester dans ce boulot.
   PO J'ai l'intention de me mettre à la recherche d'un nouveau poste.

2
a. FP, I, P.
b. I, C.
c. I, P.
d. FP, I.
e. I, P.

3
a. Parce que je dois être à Londres cet après-midi.
b. Je ne sais pas moi, parce qu'elle me plaisait.
c. Prendre des vacances ? Mais je suis tellement occupé en ce moment.
d. Je n'ai pas eu le temps.
e. Parce que ça te servira plus tard.
f. Nous avons eu un accident.
g. Nous sommes allés prendre un café.

h. Je suis trop fatigué pour aller au cinéma.
i. À quoi est-ce que ça me servirait puisque je n'aim pas la musique ?
j. Je l'aime tellement que je le lis encore une fois.
k. Manifestons pour la paix.

4
Réponses possibles :
a. Je regrette. Je ne peux rien faire.
b. Mais, je vous assure que j'ai versé 500 francs su mon compte hier.
c. Pourriez-vous préciser la date exacte de votre verse ment ?
d. Je vous dis que c'était hier (le lundi 9 juin).
e. Peut-être que votre compte était déjà à découvert que vous n'avez pas versé assez d'argent ?
f. C'est impossible !
g. Écoutez, je vais me renseigner pour savoir ce qui s'e passé. Je vous donnerai la réponse dans la journée.
h. Mais je ne peux pas attendre. J'ai besoin d'arger tout de suite.
i. Combien d'argent voulez-vous ? Je pourrais demande au directeur / à la directrice si on peut vous avance cette somme.

GRAMMAIRE

1
a. Je termine en même temps que lui.
b. Ils reprennent le travail en même temps qu'elle.
c. Tu iras à la campagne en même temps qu'eux.
d. Nous sommes revenus de vacances en même temp que toi.
e. Elle est arrivée de l'usine en même temps que moi.

a. Le temps que Jacques prenne ses affaires, Florence était prête.
b. Le temps que nous prenions des notes, Madeleine a conçu la stratégie à adopter.
c. Le temps que vous alliez au bureau principal, Régine a trouvé la solution.
d. Le temps que tu boives un apéritif, Paul a raconté son projet.
e. Le temps qu'ils fassent deux courses, Didier a dépensé ses économies.

---

a. Depuis qu'elle a obtenu une promotion, Florence n'a plus de soucis d'argent.
b. Il voyage beaucoup depuis qu'il a été nommé comme P.-D.G.
c. Depuis que ses amis sont arrivés, ma fille n'a plus le temps de travailler.
d. Depuis qu'il a été opéré, il ne touche plus que la moitié de son salaire.
e. Depuis qu'il s'est spécialisé dans l'informatique, on propose à Jacques beaucoup de missions diverses.

4
a. Le jeune cadre est debout dès que le jour se lève.
b. Il prend une demi-heure pour déjeuner pendant que les bureaux sont fermés.
c. Il n'a pas le temps de se détendre vraiment avant que le travail reprenne.
d. Après que dix salariés ont été licenciés, il a peur de perdre lui aussi son emploi.
e. Ce jour-là, il devait terminer son rapport avant que le directeur parte.
f. Le directeur l'a fait appeler dans son bureau après que le courrier a été signé.
g. Pendant qu'ils discutaient, le téléphone n'a pas cessé de sonner.
h. Dès que l'entrevue a été finie, le directeur l'a félicité pour la qualité de son travail.
i. Pendant qu'il dînait avec ses amis, il pensait à une possible augmentation de salaire.

5
a. L'usine sera fermée en attendant que l'économie redémarre.
b. Il faut patienter jusqu'à ce que le bus parte.
c. Ils parlaient ensemble en attendant que le travail reprenne.
d. Ils ont attendu jusqu'à ce que l'invité d'honneur arrive.
e. Nous avons bavardé tranquillement en attendant que les bureaux ouvrent.
f. Nous continuons à dresser le bilan jusqu'à ce que l'entreprise ferme.

6
a. Vous pouvez parler ensemble aussi longtemps que vous le désirez.
b. Ils jouent dans ce parc aussi longtemps qu'ils le souhaitent.
c. Je resterai à ce poste aussi longtemps que je le voudrai.
d. Nous avons séjourné là-bas aussi longtemps que nous avons pu.
e. Il travaillait sur ce problème aussi longtemps qu'il le devait.

7
a. (4) Les capitaux étrangers restent ici tant que nous employons des stratégies pour les garder.
b. (5) Malgré son âge il a travaillé tant qu'il a pu.
c. (1) Le marché français sera en péril tant qu'on achètera nos produits ailleurs.
d. (2) On ne courait pas de risques tant qu'on avait un budget équilibré.
e. (3) Nous ne sommes pas allés vers ce marché tant que nous n'avons pas eu de solides garanties.

8

	T	O
a. Alors que les magasins fermaient, on a vu éclater l'orage.	✗	
b. Nous craignions une mauvaise nouvelle tandis que la décision a été favorable.		✗
c. Les ouvriers sortaient alors que les sirènes de l'usine retentissaient.	✗	
d. On peut compter sur cet employé tandis que l'autre est moins sûr.		✗
e. Tandis que l'orateur parlait, on a entendu crier les manifestants	✗	
f. Ce produit se vend énormément tandis que celui-là n'a pas de succès.		✗

9
a. Le magasin ferme ; en effet, il est 20 heures.
b. Il faut partir ; en effet, il se fait tard.
c. Embauchez ce garçon ; en effet, il a l'air travailleur.
d. Vous retournez voir le film ; en effet, il vous a plu.
e. Tu n'as pas envoyé la facture ; en effet, elle se trouve sur mon bureau.

10
a. Comme ce programme est trop cher, vous ne l'achèterez pas.
b. Comme tu vas voyager à l'étranger, prends ces échantillons de nos produits.
c. Comme René est expert dans ce domaine, nous l'invitons à nous aider.
d. Comme les moyens ont été réduits, la production va baisser.
e. Comme le pouvoir d'achat diminue, il vaut mieux baisser les prix.
f. Les travaux se poursuivent avec difficulté à cause de la chaleur.
g. Nous n'entendons rien à cause du bruit dans la salle.
h. L'entreprise meurt à cause du manque de commandes.
i. Elle ne veut pas prendre le bus à cause de son retard.
j. Il va falloir en parler à cause de la gravité de la situation.

11
a. Comme tu n'as plus mal à la tête, inutile de prendre de l'aspirine.
b. Je n'ai pas interviewé ce candidat, parce qu'il n'a pas envoyé de C.V.
c. On a licencié le chef de rayon à cause des risques qu'il prenait.
d. Comme les propositions n'ont pas été acceptées, nous allons voter de nouveau.
e. À cause des grèves fréquentes, le patronat demande une réunion.
f. Il faut embaucher parce que nous avons besoin de main-d'œuvre qualifiée.

12

a. Prends un parapluie puisque tu vois bien qu'il va pleuvoir.
b. Ne mange pas puisque tu n'as pas faim.
c. Repose-toi puisque tu te plains d'être fatigué.
d. Reste puisqu'il n'est pas tard.
e. Ne proteste pas puisque l'affaire est close.
f. Décide-toi puisque tu es majeur.

13

a. Grâce aux ventes nombreuses à l'étranger, l'année a été bonne.
b. En raison de / À cause de la croissance du chômage, le pessimisme augmente.
c. En raison des / À cause des achats excessifs, le budget sera déséquilibré.
d. Grâce au progrès technique, la fatigue physique est diminuée.
e. Grâce aux graphiques, les chiffres d'affaires se voient mieux.
f. En raison du / À cause du manque de pluie, la récolte sera moins bonne.
g. En raison de / À cause de l'isolement de la région, les touristes viennent rarement.

14

a. Étant donné que l'avenir est incertain, la dépression du marché est compréhensible.
b. Du fait que les passagers sont nombreux, nous n'aurons pas de place assise.
c. Vu que les trains sont fréquents, nous avons un horaire très souple.
d. Étant donné que les travaux sont longs, nous allons réviser notre budget.
e. Vu que les accidents sont nombreux, on va installer un service de surveillance.

15

a. Il écrit des articles violents d'autant plus qu'il est très critique.
b. On n'a pas envie de travailler d'autant plus qu'il fait une chaleur épouvantable.
c. Je ne suis pas parti avec eux d'autant plus qu'ils étaient trop nombreux dans la voiture.
d. Ne me parlez pas sur ce ton d'autant plus que vous le regretterez demain.
e. Il ne me demande plus rien d'autant plus que je l'ai découragé de revenir.

16

a. Ce que vous gagnez d'un côté, vous le perdez de l'autre ; l'affaire est alors / donc sans intérêt.
b. On nous a augmenté le loyer, aussi avons-nous changé d'appartement.
c. Je suis le responsable du service : c'est donc à moi que vous remettrez le rapport.
d. Il n'arrivait toujours pas, c'est pourquoi j'ai décidé de partir seule.
e. Il va y avoir des travaux de route dans mon quartier, c'est pourquoi je prends le métro.

17

a. Vous êtes tellement indulgents qu'on ne peut pas vous choquer.
b. Il y a tellement de neige que les piétons avancent difficilement.
c. Elle est tellement heureuse qu'on a envie de lui ressembler.
d. J'ai tellement de travail que je ne pourrai pas sortir soir.
e. Ils sont tellement sympathiques qu'ils ont beauco d'amis.
f. Nous recevrons tellement de demandes que nous saurons qu'en faire.

18

a. Vous avez tellement couru que vous en avez perdu souffle.
b. Nous avons tellement travaillé que nous en avo oublié l'heure.
c. Il s'est tellement amusé avec ses amis qu'il a co promis ses chances de réussite à l'examen.
d. Ces enfants ont tellement crié qu'ils en ont perdu voix.
e. Elle a tellement parlé qu'elle a fatigué son auditoire.

19

a. Je n'ai plus le même chef de secteur parce qu'il y eu un changement de personnel.
b. Il s'enferme dans son travail de sorte qu'il ne v plus sa famille.
c. Il se plaint beaucoup de la vie de sorte qu'on co mence à l'éviter.
d. Ses collègues sont mécontents parce qu'elle est so vent absente de son bureau.
e. On fait toujours la coupure à midi de sorte qu'on s toujours plus tard.
f. Il y a une bonne ambiance au bureau parce que direction est sensible aux besoins du personnel.

20

a. Cette année les primes des employés n'ont pas é augmentées si bien qu'un sentiment de mécontent ment s'est développé.
b. Il continue à investir bien qu'il craigne une nouve récession.
c. J'envisage une année économique positive bien q nous ayons vu un ralentissement dans la production.
d. Il a beaucoup étudié cette matière si bien qu'aujou d'hui il est considéré comme un expert mondial da ce domaine.
e. Elle a été nommée secrétaire de direction bien qu'e ait travaillé un an seulement dans cette entreprise.
f. Il se plaignait continuellement du patron si bie qu'on a fini par le licencier.

MISE EN PLACE

1

« Chers auditeurs, chères auditrices,
La crise économique continue à battre son plein. C'e pourquoi j'ai invité aujourd'hui au studio M. Didi Lacaze, P.-D.G. de la société Merle. Comme il est vic président du Centre national du patronat, il est bien pla pour répondre à nos questions sur la vie économique d pays.
Bienvenue, monsieur Lacaze. En raison de votre forma tion et de votre expérience, et grâce à votre esprit d'entre preneur, vous dirigez actuellement une des plus grande entreprises d'Europe. Vous avez exprimé un certain opt misme au sujet de notre avenir économique. Êtes-vou optimiste en raison des bénéfices affichés par votre entre prise ou parce qu'il y a d'autres indices positifs dans secteur industriel ?

Merci mademoiselle Tellier de m'avoir invité à exprimer un point de vue personnel. Il y a tellement d'indices positifs que l'avenir me semble très prometteur. Après plusieurs mois de hausse ininterrompue, notre excédent commercial augmente et notre déficit est donc en train de se stabiliser.

Le taux des exportations à l'étranger s'accélère tellement que nos usines doivent améliorer leur capacité de production. L'inflation est freinée, si bien que les légères augmentations du prix des marchandises annoncées début juillet ont été très bien acceptées. Dans l'ensemble, la C.E. se construit peu à peu de sorte qu'une certaine solidarité européenne en résulte. »

Exemples :

Pour quelles raisons exprimez-vous cet optimisme ?
Pourquoi a-t-on trouvé tant d'indices positifs ?
Qu'est-ce qui vous fait penser que l'inflation est freinée ?
Comment expliquez-vous que le taux des exportations à l'étranger s'accélère ?
Grâce à quelles réformes est-ce qu'on construit la solidarité européenne ?
Êtes-vous tellement optimiste que vous allez baisser le prix des marchandises ?

2

Réponses possibles :
a. C'est tellement efficace qu'on élimine toutes les taches.
b. C'est tellement bon marché qu'on en achèterait deux.

c. C'est tellement petit, ce magnétophone, qu'on le mettrait dans sa poche.
d. C'est une voiture tellement sûre qu'on pourra toujours compter dessus.
e. Le TGV est tellement rapide qu'on gagne du temps !
f. Le chocolat est si bon qu'on le croque avec délice !
g. Ce pain est si croustillant qu'on le mange tout de suite.
h. C'est un parfum si raffiné qu'il attire les plus beaux compliments.

3

Réponse personnelle

4

Exemples :
Avez-vous eu le temps de faire un café avant que M. Aubagne arrive au bureau ?
Quelles ont été vos activités en attendant de prendre la dictée des lettres ?
Qu'est-ce que vous avez fait pendant la réunion avec le chef des ventes ?
Qu'est-ce que vous avez fait juste avant le déjeuner ?
Est-ce que vous avez fait quelque chose d'autre avant que M. Aubagne revienne du déjeuner ?
Quelles ont été vos activités tout de suite après le déjeuner ?
Pendant qu'il avait rendez-vous avec le délégué syndical, avez-vous préparé des cafés ?
Avez-vous attendu au bureau jusqu'à son départ ?

UNITÉ 6

Le but, la concession, la condition

FAÇONS DE DIRE

1

a. 3, 5, 2, 1, 4.
b. 4, 2, 6, 1, 3, 5.
c D ; d D ; e A ; f D ; g D ; h D ; i A ; j D ; k A ; l D ; m D ; n A ; o D ; p A.

2

a. demander la permission : 1, 2, 4, 5, 7, 8, 11, 15.
   refuser la permission ou interdire : 3, 6, 9, 10, 12, 13, 14.
b. peu formel : 1, 3, 7, 9.
   formel : 2, 4, 6, 8, 10, 11, 13, 15.
   très formel : 5, 12, 14.

3

a. Il a fait une demande au président du tribunal.
b. Il faut payer la somme de mille francs.
c. Ils ont écrit leur nom sur la liste des participants.
d. Vous êtes obligés de faire ce travail avant la fin du mois.
e. Le fonctionnaire lui donne son nouveau passeport.
f. Le mari et la femme doivent signer cette déclaration officielle.

g. Le jeune conducteur avait conduit trop vite.
h. Un autocar assure un service de transport dans ce village.
i. L'inspecteur a vérifié le livre de comptabilité du commerçant.
j. La conclusion du rapport que le comité a écrit est inacceptable.
k. M. et Mme Ravaud sont morts en 1943.
l. L'employé s'adresse au syndicat.

GRAMMAIRE

1

a. Si j'appelle, c'est pour que les enfants descendent.
b. Si je chante, c'est pour que le bébé rie.
c. Si le téléphone, c'est pour que ton frère vienne.
d. S'il crie, c'est pour que les animaux partent.
e. Si nous acceptons votre demande, c'est pour que notre discussion avance.

2

a. Nous économisons afin de prendre des vacances.
b. On prend le soleil afin de bronzer.
c. Elle se fait belle afin de plaire au public.

d. Il s'exerce afin d'être en pleine forme.
e. Mets cette affiche ici afin que tout le monde puisse la voir.
f. Je l'ai invité afin qu'il sorte avec moi.
g. Nous avertirons Élise afin qu'elle ne vienne pas demain.

3
a. Parlez plus fort, que je vous entende.
b. Arrêtez-vous, que je dise un mot.
c. Réveille-toi, que je fasse le lit.
d. Préviens-moi, que je ne m'inquiète pas.
e. Sauve-toi, que je ne te voie plus.

4
a. Ils marchaient doucement de peur qu'on ne les surprenne.
b. Je brouillais la piste de peur qu'il ne nous suive.
c. Elle nous a téléphoné de peur que nous n'arrivions trop tôt.
d. Il s'est caché de peur que tu ne le voies.

5

	BU	CO
a. On a inventé la carte à mémoire pour que nous puissions téléphoner d'une cabine publique.	✗	
b. Ils ont tellement cherché qu'ils ont fini par trouver le code.		✗
c. Nous avons installé le Minitel pour qu'on obtienne les renseignements de l'annuaire avec facilité.	✗	
d. Il a tellement plu que toute la ville est inondée d'eau.		✗
e. Tu as créé ce logiciel pour que la saisie du texte aille plus vite.	✗	
f. Il s'est tellement surmené qu'il a dû prendre un congé de maladie.		✗
g. Ces pays se sont entendus pour que la paix s'établisse dans le monde.	✗	
h. Il a fait tellement chaud que les installations spatiales n'ont pas fonctionné.		✗

6
a. La ville a décidé de créer un musée des Sciences et de la Technique de sorte que le public saisisse où en est la recherche.
b. La réparation de la centrale électrique n'a pu être effectuée de sorte que les employés et les ingénieurs sont au chômage technique.
c. Les entreprises communiquent beaucoup par fax (télécopie), de sorte que l'on perd moins de temps.
d. Les laboratoires demandent à être subventionnés davantage de sorte que la recherche sur les maladies graves puisse progresser.
e. Nous avons organisé une formation linguistique pour nos cadres de sorte que nous avons des échanges plus fructueux avec nos partenaires.

7
a. Rien n'avait changé, pourtant il reprenait goût à la vie.
b. C'est cher, mais je vais l'acheter quand-même.

c. On comptait sur son accord. Au contraire, il a refusé
d. La publicité a été faible : en revanche, le produit très bien marché.
e. La machine a été livrée dans les temps. Néanmoins, y a des ajustements à faire.

8
a. Le dernier mot est prononcé, à moins que quelqu'un a une question à poser.
b. Je vais au cours, à moins que tu aies l'intention de sécher.
c. Le président lève la séance, à moins que l'on cho sisse de la prolonger.
d. Cette tentative échouera, à moins que vous nou aidiez.
e. Le restaurant est complet, à moins que vous attendie dix minutes.
f. L'université fermera ses portes, à moins que la régic obtienne des subventions.
g. À moins que vous ayez les garanties nécessaires, vaudrait mieux arrêter les expériences.
h. À moins que nous perdions de vue nos objectifs, le résultats ne tarderont pas.
i. Il faudra éviter de te présenter à ce concours, à moir que tu connaisses bien le programme.

9
a. Le conférencier a parlé pendant une heure sans s faire comprendre.
   Le conférencier a parlé pendant une heure sans qu'c le comprenne.
b. Elle a pris cette décision sans se faire conseiller.
   Elle a pris cette décision sans qu'on la conseille.
c. Ils ont quitté la maison sans se faire voir.
   Ils ont quitté la maison sans qu'on les voie.
d. Nous continuons notre entreprise scientifique sar qu'ils le sachent.
e. Elle note tous les changements sans que tu la voies.
f. On embauche des experts sans que le budget le pe mette.

10
a. Malgré la chaleur
b. Malgré le froid
c. Malgré la nuit
d. Malgré le soleil
e. En dépit de ma maladie
f. En dépit de ta jeunesse
g. En dépit de sa laideur
h. En dépit de notre âge
i. En dépit de votre timidité
j. En dépit de leur absence

11
a. Bien qu'on connaisse les risques, on continue à utili ser ce traitement.
b. Bien que le coût soit exorbitant, on rêve toujour d'envoyer des hommes sur Mars.
c. Bien que nous connaissions vos qualités, nous n pouvons pas vous embaucher.
d. Bien qu'il défende votre réputation, il n'accepte pa de négocier avec vous.
e. Bien que nous l'interrogions, il ne révèle pas l'ider tité de son complice.
f. Bien que vous produisiez des références, on conteste sérieux de cette entreprise.

a. Nous avons beau agir discrètement, ils nous ont remarqués.
b. Ils avaient beau se plaindre amèrement, rien ne changeait.
c. Elle a beau s'excuser, je ne lui pardonnerai pas.
d. Pierre a eu beau parler fort, personne ne l'a entendu.
e. Tu as beau conduire vite, tu ne les rattraperas pas.

a. Si agréables que soient mes collègues, c'est tout de même chacun pour soi.
b. Si valable que soit la proposition, le gouvernement ne la soutient pas.
c. Si importante que soit l'aide humanitaire, la misère s'aggrave.
d. Si avancées que soient les études spatiales, le lancement de fusées a connu des échecs.
e. Si surpeuplé que soit ce pays, le contrôle des naissances y est inexistant.

En ce qui concerne les pronostics pour l'an 3000,
quel que soit l'état de la Terre,
quelle que soit la vie sur Jupiter,
quels que soient les besoins des astronautes,
quelles que soient les conditions de la survie,
quel que soit le système de transport interplanétaire,
quelles que soient les modalités de l'existence,
nous sommes incapables de les évaluer.

a. Quoique la science soit une discipline complexe, les gens s'y intéressent.
b. Quoi qu'ils disent, les scientifiques m'inquiètent un peu.
c. Quoi que nous fassions, le monde semble courir à sa perte.
d. Quoique les progrès soient incontestables, le monde est-il plus heureux qu'avant?
e. Quoi que nous pensions, les gouvernants agissent à leur guise.
f. Quoiqu'on soit capable d'envoyer des hommes sur la lune, on connaît encore mal notre propre planète.

a. Je ne peux pas le croire même si la nouvelle est vraie.
b. On vous enverra la lettre, sauf si elle n'est pas encore signée.
c. Il refuserait la proposition même si tu insistais pour qu'il accepte.
d. Nous vous accompagnerons sauf s'il y a un empêchement.
e. Je rentrerai vers 7 heures, sauf si mon patron me propose des heures supplémentaires.

a. Elle parle à son chien comme si c'était un être humain.
b. Il fait pitié: il se comporte comme s'il ne possédait rien.

c. Ils étaient affamés et ils se sont jetés sur leur assiette comme s'ils n'avaient rien mangé cette semaine.
d. Ils ont continué à parler comme s'ils ne nous avaient pas entendus.
e. Ils s'amusent comme s'ils n'avaient pas de soucis.

18
a. Je me joindrai à leur équipe à condition que nous nous mettions d'accord sur les horaires.
b. Nous acceptons la reprise du travail pourvu que tout le monde obtienne des avantages immédiats.
c. Le candidat a des chances de réussir à condition que le gouvernement tienne ses promesses.
d. Ils parviendront à un accord pourvu que vous déterminiez la contribution de chaque participant.
e. Les créateurs remplaceront les anciennes méthodes pourvu qu'on constate l'efficacité des nouvelles méthodes.

19
a. Au cas où l'ascenseur serait en panne, vous avez un téléphone.
b. Au cas où il pleuvrait, nous ferons le pique-nique dans le hall de la gare.
c. Au cas où il y aurait un incendie, on doit appeler les pompiers.
d. Au cas où elle aurait un empêchement, je vous le confirmerai.
e. Au cas où vous perdriez votre passeport, prévenez le commissariat.
f. Au cas où ils changeraient d'itinéraire, faites-le-moi savoir.

MISE EN PLACE

1
Exemples :
J'apprends le français pour que les Français me comprennent.
J'apprends le français afin de communiquer avec les Français.
J'apprends le français afin que ma petite amie puisse me comprendre.

2
1. ... on avait une salle de sport à domicile.
2. ... qu'on utilise cet appareil régulièrement.
3. ... s'il n'y a pas de prof de gym.
4. Si enthousiaste que soit l'utilisateur, il ne faut pas trop exagérer l'usage du Gym-Dom.
5. Quels que soient les besoins d'exercice, cet appareil est capable de les satisfaire.

3
Réponses personnelles

4
Réponses personnelles

La concordance des temps

FAÇONS DE DIRE

1
a S ; b S ; c R ; d D ; e R ; f S ; g D ; h S ; i R ; j R ; k D ; l S ; m R ; n D ; o S.

2
a. Si
b. Pourvu qu'
c. Si
d. Je souhaite beaucoup que
e. Si
f. dommage
g. aurions dû
h. regrettes
i. déçu(e)
j. déçoit
k. déception

3
a. J'ai une de ces migraines !
b. Je n'ai pas une minute à moi.
c. Quel vacarme, c'est insupportable.
d. J'en ai assez de perdre mon temps !
e. Je n'ai encore pas fermé l'œil de la nuit.
f. Il faut toujours repasser derrière lui !

4
1 c ; 2 a ; 3 b ; 4 c ; 5 a ; 6 c.

GRAMMAIRE

1
a. S'il chante toujours aussi bien, il aura un succès fou.
b. S'il fait beau, nous irons au concert en plein air.
c. Si on reçoit le programme du festival, on vous l'enverra.
d. Si elle ne s'entraîne pas, elle n'atteindra pas son objectif.
e. Si vous n'êtes pas là, vous manquerez le récital.

2
a. Si je savais pourquoi, je vous le dirais.
b. Si vous connaissiez ce compositeur, vous l'aimeriez.
c. Si elle était moins étourdie, elle comprendrait.
d. S'il apprenait la vérité, il serait furieux.
e. Si tu voulais, tu pourrais le faire.

3
a. Si vous aviez acheté des billets plus tôt, vous auriez trouvé de bonnes places.
b. Si j'avais bu du café hier soir, je n'aurais pas dormi.
c. Si tu étais venue l'entendre chanter, tu aurais été enchantée.
d. Si on avait su, on ne serait pas parti(e)s.
e. Si nous étions arrivés à l'heure, nous serions entrés facilement.
f. Si j'avais eu le temps ce matin, je serais resté plus longtemps avec vous.

4
a. Vous seriez majeur, vous pourriez voter.
b. Il serait l'homme le plus charmant, je ne l'épouser pas.
c. Ils m'auraient averti, j'aurais évité cette difficulté.
d. Je ne lui aurais pas donné la preuve, il ne m'aurait cru.
e. Tu ne serais pas arrivé en retard, tu aurais vu le dé du film.

5
a. Quand vous ne serez plus là, vous nous manquerez.
b. Quand tu le verras, tu lui donneras cette carte.
c. Quand il pleuvra, je ne mettrai pas mes chaussu neuves.
d. Quand nous irons en vacances, nous n'emporterc pas nos disques avec nous.
e. Quand le chef d'orchestre entrera, les musicic auront accordé leurs instruments.
f. Quand le rideau se lèvera, les comédiens auront p leurs places.
g. Quand tu rentreras, nous serons rentrés nous aussi.
h. Quand il arrivera, vous aurez appris toute la chanso
i. Quand nous quitterons notre maison de campagne, invités seront partis.
j. Quand ils verront la pièce, ils auront appris à mie l'apprécier.

6
a. Quand le film a commencé, les gens faisaient encore queue dehors.
b. Quand nous sommes arrivés, vous lisiez un roman Balzac !
c. Il se dirigeait vers le théâtre, quand je l'ai vu.
d. J'étais en train d'écrire, quand tu m'as téléphoné.
e. Quand la séance a commencé, tout le monde av cessé de bavarder.
f. Quand ils sont arrivés à la bibliothèque, les liv qu'ils cherchaient avaient disparu.
g. Quand le signal rouge s'est allumé, personne ne s'é aperçu du mauvais fonctionnement de l'appareil.
h. Quand je suis allé réserver des places, on avait d fermé les guichets.
i. Quand vous avez prédit le succès du peintre, vc aviez vu sa nouvelle exposition.

7
a. Quand il a eu terminé le récital de piano, l'assista s'est mise à applaudir.
b. Quand elle a eu fini sa lessive, la machine à laver tombée en panne.
c. Aussitôt qu'il a eu débarrassé la table, les oisea sont arrivés pour manger les miettes.
d. Dès que j'ai eu dépassé les buissons, j'ai remarqué maison bleue.
e. Dès qu'elle a eu écrit sa lettre, elle l'a portée à poste.
f. Sitôt que j'ai eu nettoyé le plancher, vous êtes ent les pieds couverts de boue.

8
a. Je souhaite qu'il prenne soin de son équipe d'ingénieurs du son.
b. Je souhaite que vous le connaissiez bien, ce peintre.
c. Je souhaite qu'ils puissent assister à la première de leur film.
d. Je souhaite qu'elle vienne au repas de gala avec son fiancé.
e. Je souhaite qu'on n'écrive pas ce scénario peu vraisemblable.
f. Je souhaite qu'on ne voie plus cet acteur sur le petit écran.

9
a. Il faut que tu aies donné la liste de noms avant la réunion.
b. Il faut qu'il ait perdu sa mauvaise humeur avant notre rencontre.
c. Il faut que j'aie choisi un cinéaste sympathique avant Noël pour faire ce documentaire.
d. Il faut qu'ils soient descendus dans le foyer de l'hôtel avant 19 heures.
e. Il faut qu'elles soient passées chez le libraire avant l'heure de l'apéritif.
f. Il faut qu'elle soit partie à midi pour être là-bas avant la nuit.
g. Il faut que tu sois rentré en raison des préparatifs à faire.
h. Il faut qu'ils aient arrêté de se disputer pour pouvoir travailler ensemble.
i. Il faut qu'elle se soit décidée sur l'interprétation du rôle avant la mise en scène du film.

10
a. Ils ne croient pas que je sois revenue exprès pour les revoir.
b. On n'a pas l'impression que tu te sois excusé auprès d'eux.
c. Nous n'admettons pas que vous ayez changé de projet.
d. Tu ne penses pas que ces poètes aient su exprimer l'ironie de la situation.
e. Je ne trouve pas que l'auteur du roman ait bien décrit cette région.
f. On ne s'imagine pas qu'ils aient pu tourner un film en un mois.

11
a. Bien que nous nous soyons disputés, nous vous aiderons à finir le projet.
b. On n'a pas joué la scène avant que tous les comédiens aient maîtrisé le dialogue.
c. Je veux que vous ayez lu la scène en une heure.
d. Nous sommes déçus que le scénario ne vous ait pas plu.
e. Je suis ennuyée que vous n'ayez pas compris le texte.
f. C'est dommage que tu ne sois pas venu hier.
g. On regrette qu'elle ne soit pas partie avec eux.
h. En attendant que tout le monde se soit présenté, ils rédigeaient leur courrier
i. Il serait souhaitable qu'ils aient mis en place l'éclairage avant le début de la répétition.

12
a. Nous serons heureux qu'ils soient dans la même voiture que nous.
b. J'aimais bien que tu sortes avec nous.
c. Elle ne méritait pas que tu la fasses souffrir de cette manière.
d. J'ai été content qu'elle ait eu un peu de temps pour elle.
e. Elles auraient été ravies que nous soyons là dans leur maison.
f. Je n'ai pas aimé que tu te tiennes comme ça devant moi.

13
a. Je préfère qu'ils fassent la paix bientôt.
b. Je ne supporte pas qu'elle prenne ma place dans quelque temps.
c. Cela ne m'étonnerait pas qu'il reçoive de bonnes nouvelles demain.
d. Il était triste que les autres s'en aillent le lendemain.
e. J'aurais souhaité que tu reviennes la semaine suivante.
f. Vous avez été vexé que nous voulions partir avant le dîner.

14
a. Nous sommes déçus que vous n'ayez pas renouvelé le contrat.
b. Cela m'agace qu'elle ait encore oublié notre rendez-vous !
c. Nous serons toujours reconnaissants que vous nous ayez aidés.
d. Vous seriez furieux qu'elles se soient encore ravisées.
e. Il serait regrettable que tu te sois fait renvoyer.
f. Nous craignions qu'il se soit désisté en faveur de son concurrent.
g. Il exigeait qu'elle ait fait son apprentissage ailleurs.
h. Nous avons eu peur qu'elle n'ait pas terminé le stage.
i. J'aurais souhaité que vous ayez tout fait pour éviter le scandale.
j. Cela m'aurait étonné que tu aies réparé les dégâts.

MISE EN PLACE

1
a. Ah ! si je m'étais couché(e) plus tôt !
b. Ah ! si j'étais venu(e) le matin !
c. Ah ! si je n'avais pas changé de sac !
d. Ah ! si j'avais prévu une roue de secours !
e. Ah ! si je vous avais reconnu !
f. Ah ! si je l'avais acheté cette semaine !

2
a. ... on s'était précipités pour avoir des places.
b. ... on avait fait la queue pendant trois heures.
c. ... la foule se bousculait devant l'entrée.
d. ... les feux de rampe se sont allumés.
e. ... on applaudit.
f. ... le public retient son souffle.
g. ... on achètera des boissons.
h. ... on criera « bravo ».
i. ... on rentrera content.
j. ... le silence se sera établi.

3
a. Si je vais au cinéma, je choisis...
b. Si j'étais écrivain, j'écrirais...
c. Quand je me suis mis(e) à..., j'étais heureux(se) / malheureux(se)...
d. Quand j'ai fait mes premières photos, je les ai aimées / je ne les ai pas aimées...
e. Si j'étais né(e) au début du siècle, je / j'(n)'aurais (pas) fait partie du mouvement surréaliste.

f. Si j'avais connu Albert Camus, je (ne) l'aurais (pas) trouvé sympathique.

g. Quand je serai à la retraite, je ferai...

 4

D'ici là, il faut que...
tu aies organisé l'emploi du temps des maquilleurs.
l'électricien ait mis les derniers éclairages.
le peintre soit revenu pour peindre les décors.
la couturière ait terminé les costumes.
la femme de ménage ait nettoyé la salle.
le menuisier ait réparé les sièges.
l'administration ait sorti les affiches du spectacle.
les acteurs aient fini d'apprendre par cœur leur répliques.
les musiciens aient réglé le son.
tu aies gardé ton calme.

Je regrette que nous nous soyons rencontrés trop jeunes.
Je regrette que nous ayons eu souvent des disputes.
Je regrette d'avoir été un peu trop indépendante.
Je regrette qu'il m'ait quittée sans me dire adieu.
Je regrette qu'on ne se soit jamais revus.
Je regrette de n'avoir aimé personne d'autre.

Tests d'auto-évaluation 4-7

UNITÉ 4

1. de
2. à
3. à
4. une
5. d'
6. un
7. d'
8. de revenir bientôt
9. de rater le bus
10. que vous partiez
11. de s'être promenée
12. récupéré
13. d'être
14. Avant de
15. Après avoir
16. Après s'être
17. fini
18. être sortie
19. parler
20. avoir
21. être
22. être
23. t'être
24. avoir
25. enregistrer
26. traduire
27. fait venir
28. fait réparer
29. excuser
30. fait
31. fait
32. frappant
33. amaigrissante
34. attirante / cherchant
35. Connaissant
36. s'avançant
37. discutant
38. mettant
39. Ayant
40. prenant
41. en même temps

UNITÉ 5

42. Le temps de
43. pendant
44. j'ai
45. a été
46. ont quitté
47. dise
48. permette
49. a été
50. j'aurai
51. parte
52. revienne
53. jusqu'à
54. avez pu
55. Comme
56. en effet,
57. parce qu'
58. à cause d'
59. parce que
60. Puisque
61. Grâce à
62. Du fait de
63. Vu
64. Étant donné
65. Étant donné que

UNITÉ 6

66. afin que
67. Afin de
68. applaudisse
69. connaisses
70. dise
71. voie
72. Sans
73. perdiez
74. l'entende
75. paraît
76. a
77. soit
78. savons
79. s'en est
80. quand même
81. reprenne
82. parte
83. Malgré
84. En dépit de
85. chantant
86. soient
87. soit
88. même
89. sauf
90. comme
91. prennes
92. aille
93. oublieriez
94. j'étais
95. tellement

UNITÉ 7

96. ira
97. dirais
98. avais
99. aurait fini
100. avais été
101. voteriez
102. serait
103. regretteras
104. fera
105. traversait
106. j'étais déjà parti(e)
107. cherchais
108. sont sortis
109. feras
110. vend
111. nous sommes arrêtés
112. reçoive
113. vous dépêchiez
114. soient
115. vous rencontriez
116. puisse accueillir
117. ait réglé
118. se calment
119. nous installions
120. ait commencé
121. aient appris
122. aient mis en place
123. ait téléphoné
124. n'aies pas tenu
125. n'ayons pas pris

Le discours rapporté

FAÇONS DE DIRE

1

Réponses possibles :
a. S'il vous plaît madame, vous pourriez m'aider ?
b. Pardon, excusez-moi mademoiselle, je cherche la poste ?
c. Un moment, monsieur ; s'il vous plaît, cela ne vous dérange pas de répondre à quelques questions ?
d. Dis, Nathalie, fais attention !
e. Hé, vous là-bas, ne faites pas tant de bruit !

2

a. **Exprimer un désir :**
J'ai bien / très envie de (faire)...
Je rêve de (faire)...
J'aimerais bien / beaucoup / tellement (faire)...
Cela me dirait assez / beaucoup de (faire)...
Exprimer une intention :
Je compte bien (faire)...
Je suis bien décidée à (faire)...
Je renonce à (faire)...
Je tiens à (faire)...
Rappeler quelque chose à l'autre personne :
Rappelle-toi que...
Comme vous le savez...
Dis donc, tu n'oublies pas que...
Comme je l'ai déjà dit...
Je vous signale que...
Si j'ai bonne mémoire, vous-même, vous (faites)...
b. Réponse personnelle

3

Pour garder la parole :
Attends, je continue.
Encore un mot, s'il vous plaît.
Laisse-moi finir.
Je peux terminer ma phrase ?
Laisse-moi parler.
Pour prendre la parole :
Je t'interromps une minute...
Je voudrais juste dire un mot.
J'ai une question à poser si vous permettez...
Bon, écoutez-moi maintenant.
Je voudrais ajouter quelque chose.
Pour donner la parole :
Vas-y, raconte.
Rien à ajouter ?
Vous vouliez dire quelque chose ?
Alors, qu'est-ce que tu as fait après ?
Vous n'êtes pas de mon avis ?
Je vous écoute.
Qu'est-ce que tu as à me dire ?

4

Qu'en penses-tu ?
Tu ne crois pas ?
Et alors ?
Qu'avez-vous à dire là-dessus ?

5

b, c, g, m, n, o, p.

6

a R ; b T ; c T ; d R ; e R ; f T ; g T ; h R ; i R ; j ?
k R ; l T ; m T ; n R.
Imaginez une conversation : Réponse personnelle.

GRAMMAIRE

1

a. L'officier de garde prévient les personnalités q
l'inauguration commence.
b. Le Premier ministre annonce que la situation e
grave.
c. Le consul affirme que la crise du pays continue.
d. Le Président s'exclame qu'il était temps.
e. L'attachée de presse dit qu'on va faire venir les jo
nalistes.
f. Elle pense que le moment de vérité arrive.

2

a. Il lui répond qu'il peut venir sur place et examiner l
plans.
b. Elle lui affirme que c'est Bonpoint qui dirige l'affaire
que son patron en tirera les bénéfices.
c. Nous leur expliquons qu'il est interdit de fumer
que nous nous en tenons au règlement.
d. Le conseiller économique leur explique qu'ils doive
maintenant pouvoir augmenter leurs revenus.
e. L'enseignant leur annonce que leurs examens appr
chent et qu'ils ont encore beaucoup à faire.

3

a. Il m'avertit que mes affaires ont été envoyées chez mo
b. Annie nous explique que notre comportement e
inacceptable.
c. Henri me dit que mes démarches lui sont incompr
hensibles.
d. Le représentant leur dit que ses actions ne concerne
que lui.
e. Tu m'annonces que les valises diplomatiques so
dans ma voiture.
f. La Présidente nous affirme que ses conseillers l
sont fidèles.
g. Elle nous téléphone et nous dit qu'elle est libre
qu'elle part avec nous.
h. Mon collègue avoue que mes idées sont meilleur
que les siennes.

4

a. Ils me disent qu'ils n'aiment pas leur patron.
b. Elle me dit que je gagne bien ma vie.
c. Elle me dit que nous avons une belle maison.
d. Elle lui dit qu'il a une femme remarquable.
e. Elle me dit que tu as une femme remarquable.
f. Elle me dit que vous n'avez pas de voiture.
g. Elle me dit qu'ils ont une vie très libre.

a. On leur a ordonné de tirer.
b. Il nous a dit de partir.
c. Elle m'a conseillé de réfléchir.
d. Elle lui a conseillé de se détendre.
e. Ils leur ont dit de s'asseoir.
f. On lui a dit de se calmer.
g. On leur a conseillé de se reposer.
h. Ils m'ont dit de ne pas boire.
i. On lui a demandé de ne pas conduire.
j. Je vous ai suggéré de ne pas répondre.
k. Il l'a prévenu de ne pas se mettre en colère.
l. Tu leur as dit de ne pas s'énerver.
m. Elle leur a suggéré de ne pas s'en faire.
n. Il l'a suppliée de ne pas s'en aller.
o. On m'a dit de m'amuser.
p. On m'a dit de ne pas me fâcher.
q. On t'a dit de te reposer.
r. On t'a dit de ne pas te tromper.
s. On nous a dit de nous défendre.
t. On nous a dit de ne pas nous absenter.
u. On vous a dit de vous promener.
v. On vous a dit de ne pas vous impatienter.

---

a. Il dit qu'il n'a pas bien expliqué le problème.
b. Elle répète qu'ils doivent aller tout de suite au commissariat.
c. Si tu le questionnes, il répondra toujours qu'il ne sait pas.
d. Elle pense qu'elle ne ferait pas une telle erreur.
e. Il affirme qu'ils ne pourraient pas venir avec nous.
f. Si tu insistes, elle t'expliquera qu'elle ne fait pas de sport.
g. Il dira toujours qu'il viendra dès qu'il pourra.
h. Ils répondent qu'ils n'aimaient pas l'exposition, que c'est pourquoi ils sont partis.
i. Si tu lui demandes de l'aide, il te promettra qu'il passera plus tard.

---

a. Il m'a dit que la vie était très belle là-bas dans les îles.
b. Il m'a dit qu'il y avait une brise vraiment douce sur les îles.
c. Il m'a dit qu'il avait fait beau pendant tout le voyage.
d. Il m'a dit qu'ils partaient très tôt tous les matins pour aller pêcher.
e. Il m'a dit qu'il allait y retourner tous les deux ans.
f. Il m'a dit qu'il ferait des économies rien que pour ça.
g. Il m'a dit qu'il aurait gagné assez d'argent pour pouvoir repartir.
h. Il m'a dit que ses amis aimeraient faire ce voyage aussi.

---

a. Khalil, mon voisin africain, a dit que Djamel était venu le voir.
b. Il a annoncé qu'il avait envie de retourner dans son pays.
c. Il m'a expliqué que sa sœur allait se marier.
d. Il a ajouté qu'il serait parti avant la fin de la semaine et que je n'avais qu'à venir avec Djamel et lui.
e. On nous a annoncé que l'avion partirait dans une heure environ.
f. J'ai chuchoté qu'ils allaient être en retard encore une fois.
g. Khalil a affirmé que les passagers pour Dakar seraient embarqués avant nous.

h. Ils ont dit qu'ils aimaient beaucoup ce voyage quand ils étaient jeunes.
i. Ils ont avoué que ça leur plairait de le refaire avec moi.
j. J'ai répondu qu'ils auraient pu quand même m'inviter plus tôt.

9
a. Il m'a dit que sa voiture était trop vieille et qu'il allait en acheter une autre.
b. Mes parents me disaient qu'au lieu de me plaindre je devais m'occuper de mes frères ou que le diable allait s'occuper de moi.
c. Tu lui avais annoncé que tu rentrais au village et que tu n'allais pas le quitter.
d. Ils m'avaient avoué qu'il y aurait des conséquences malheureuses.
e. Nous lisions le commentaire en répétant que c'était tout à fait illogique.
f. Ils nous ont felicités en remarquant que notre aide leur était précieuse.
g. Tu m'avais arrêté en ajoutant que cela ne valait pas la peine de recommencer.
h. Vous aviez annoncé le programme en observant que les résultats dépendraient du bien-fondé des prévisions.

10
a. Elle m'a écrit qu'elle avait déménagé le jour même et qu'elle m'inviterait la semaine suivante.
b. Elles leur ont annoncé qu'à ce moment-là elles préparaient le budget et qu'elles les appelleraient deux jours plus tard.
c. Au téléphone le secrétaire avait répondu qu'il était parti l'avant-veille et qu'il serait à Genève le surlendemain.
d. Mes parents m'ont conseillé de revenir ce soir-là parce qu'il y aurait du monde sur les routes le lendemain.
e. Il songeait que la veille il y avait un tas de gens sur la plage, mais que le dimanche précédent, il n'y avait personne.
f. Ils nous ont répondu que la semaine précédente, à cette heure-là, ils étaient de passage à Strasbourg.
g. Tu m'avais écrit que tu avais arrêté de fumer trois jours plus tôt et que tu te sentais très bien.

11
a. Louis lui demande si elle vient ici souvent.
b. Louis lui a demandé si elle viendrait dîner.
c. Louis lui a demandé quand elle allait lui téléphoner.
d. Louis leur demande où elles iront le dimanche suivant.
e. Louis leur a demandé pourquoi elles s'étaient mises en colère contre lui.

12
a. Elle lui a demandé d'où il venait.
b. Elle lui a demandé comment il était revenu.
c. Elle lui a demandé a quelle heure il avait atterri.
d. Elle lui a demandé pourquoi il n'avait pas appelé le bureau la veille.
e. Elle lui a demandé qui il avait interviewé à Bruxelles l'avant-veille.
f. Elle lui a demandé combien de sites il avait visités le mercredi précédent.
g. Elle lui a demandé lequel était le plus intéressant à voir.
h. Elle lui a demandé s'il repartirait le lendemain.
i. Elle lui a demandé quel vol il prendrait cette fois-ci.

13

a. Le gendarme a demandé ce qui avait provoqué l'accident.

b. La voisine avait demandé ce que je voulais / nous voulions.

c. Le guide voulait savoir ce qui ne m'avait pas plu.

d. Les parents se demandaient ce qu'ils devaient lui envoyer.

e. L'étranger a demandé ce qu'il fallait faire pour avoir un permis.

f. Le touriste se demandait ce qui était écrit sur le panneau.

g. Les enfants voulaient savoir ce qu'ils avaient fait de mal.

j. L'avocat essayait de se rappeler ce qui avait été dit devant le juge d'instruction.

14

« Il pensait souvent à la nouvelle Europe. Comment ferait-on pour vivre ensemble et heureux ? Où se trouverait la capitale ? Où serait le siège du Parlement ? Comment s'appellerait le Président ? Allait-on pouvoir circuler plus librement ? Allait-on avoir un permis de conduire unique ? Les Européens allaient-ils pouvoir acheter des marchandises moins cher ? Qu'allait-on faire pour harmoniser les lois et les impositions fiscales ? Allait-on libéraliser des services tels que le transport et le téléphone ? Sans doute les diplômes allaient-ils être reconnus mutuellement ? On pourrait trouver du travail partout. Il serait possible de vivre dans le pays de son choix. Oui, la nouvelle Europe serait une aventure passionnante. »

MISE EN PLACE

1

Elle a dit qu'elle s'était fait bousculer sur le trottoir par un jeune voyou.

Elle a raconté qu'elle lui avait filé une bonne paire [de] claques.

Elle a demandé ce que j'aurais fait si j'avais été à sa pla[ce.]

Elle prétend que c'était un trafiquant de drogue.

Elle a dit que tu étais vraiment dur d'oreille !

2

Charlotte a dit que mes parents l'attendaient à l'aérop[ort] comme prévu, et qu'ils étaient partis tout de suite p[our] leur villa à la campagne. Elle a dit que le premier soir [ils] avaient parlé jusqu'à minuit de moi et de la vie à Pa[ris,] qu'ils ne s'étaient pas couchés avant une heure du ma[tin] mais qu'ils s'étaient réveillés tard le lendemain.

Elle a raconté qu'ils avaient déjeuné chez mes gran[ds-] parents, qu'elle ne s'attendait pas à les voir mais qu[i] n'étaient pas partis à la Martinique comme d'habitu[de.] Elle a dit qu'il avaient passé un bon moment chez e[ux.] Elle a ajouté que mes cousins avaient demandé de [mes] nouvelles et qu'ils voulaient savoir quand je leur re[n-] drais visite.

Elle a dit qu'au début de son séjour il avait fait très be[au] mais que les derniers jours le temps était devenu v[rai-] ment maussade. Elle a ajouté qu'elle espérait que je m[an-] geais bien et que je ne me fatiguais pas trop au boulot.

3

« Quand j'étais petite, mes parents me forçaient à fa[ire] des devoirs de vacances. Ça m'avait tellement marqu[ée] que j'avais pris la décision de ne jamais soumettre m[es] propres enfants au même régime !

Mais j'ai d'autres souvenirs qui me font très plaisir. [Je] me souviens que mon père m'emmenait souvent à [la] pêche et qu'avec ma mère, dans la cuisine de la ferme[, je] faisais des madeleines pour le goûter. Et puis je n'aur[ais] pas su nager sans les leçons de natation données par m[on] oncle dans la rivière.

Et toi, est-ce que tu as quelques bons souven[irs] d'enfance ? »

« Je suis obligé de te répondre que non », lui ai-je dit.

UNITÉ 9

Nuancer sa pensée

FAÇONS DE DIRE

1

a. Les écologistes ont toujours raison : Les écologistes ont très souvent / souvent raison.
Les écologistes n'ont jamais raison : Les écologistes ont quelquefois / parfois / rarement / peu souvent raison.

b. Tous les écologistes sont idéalistes : La plupart des écologistes / Beaucoup d'écologistes / Une majorité d'écologistes sont idéalistes.
Aucun écologiste n'est idéaliste : Certains écologistes / Peu d'écologistes sont idéalistes.

c. Les écologistes sont les plus engagés : Les écologistes sont très / plutôt / assez engagés.
Les écologistes sont les moins engagés : Les écologistes sont peu engagés.

2

Ajoutez les phrases suivantes après votre affirmatic[on :] C'est évident. / J'en suis convaincu(e). / C'est ce que [je] crois. Exemple : Les écologistes vont sauver le mon[de.] C'est évident.

Placez avant votre affirmation :

Je vous assure que (+ indicatif) / Je suis bien placé(e) pour savoir que (+ indicatif) / À mon avis, il n'y a p[as] l'ombre d'un doute. Exemple : Je vous assure que [les] écologistes vont sauver le monde.

3

a. Il est possible que nous vivions sur la lune.

b. Nous vivrons peut-être sur la lune.

c. Il se peut que nous vivions sur la lune.

d. On peut imaginer que nous vivrons sur la lune.

e. Il se pourrait bien que nous vivions sur la lune.

a. Je vais vous expliquer pourquoi [la pollution des mers détruit les côtes et le milieu marin.]

b. C'est comme ça parce que [les poissons, les phoques et les baleines meurent.]

c. Il en est ainsi parce que d'une part [on dépose des résidus chimiques et radioactifs dans la mer] et que d'autre part [des millions de tonnes d'ordures ménagères et de déchets finissent chaque année dans la mer.]

5

a. Moi, à mon avis, [je trouve qu'il faut éliminer rapidement ces inégalités.]

b. Oui, mais pour ma part, [je suis contre l'idée d'augmenter la dette internationale des pays pauvres.]

c. On pourrait ajouter que [tous les pays riches doivent être responsables de cette dette.]

d. Il est pourtant clair qu'[il n'y a pas de solution facile.]

e. Vous feriez mieux de [chercher une solution plus efficace.]

6

Exemple : En bref, l'explosion de la croissance démographique augmente la famine dans certains pays d'Afrique.

GRAMMAIRE

1

a. Elle est certaine que vous défendrez plus tard la cause du peuple.

b. Nous étions sûrs qu'il s'agissait chaque fois de sympathisants de la gauche.

c. Vous étiez persuadés que la droite ne gagnerait pas la dernière fois.

d. Elles seront convaincues que des thèmes écologistes domineront le prochain débat.

2

a. Elle doute que l'organisation d'un référendum ait lieu.

b. Nous pouvons douter que la solution proposée soit efficace.

c. Vous doutiez toujours que ces mesures reçoivent l'approbation des votants.

d. Elles douteront encore que les autorités sachent rétablir la situation.

3

a. On doute du destin national du candidat.

b. On doute des affirmations de la candidate.

c. On doute de la véracité de leur récit.

d. On doute du sens de son discours.

e. On doute du résultat des élections.

4

a. Certainement.

b. Assurément.

c. Ils sont très sûrs de tout.

d. Le résultat est incontestable.

e. C'est certain.

f. Rassurez-moi !

g. Je le savais.

5

a. Il n'est pas évident que le gouvernement soit en difficulté.

b. Il n'est pas certain que les élections aient lieu en juin.

c. Il n'est pas sûr qu'un référendum permette de résoudre le conflit.

d. Il n'est pas vrai que la population vienne en aide aux insurgés.

e. Il est douteux que le changement des mentalités se fasse.

f. Il n'est pas prévu que la conjoncture économique se dégrade.

6

a. Il est probable que le Président sera réélu.
Il est peu probable que le Président soit réélu.

b. Il est probable que l'armée mettra un terme à la tentative démocratique.
Il est peu probable que l'armée mette un terme à la tentative démocratique.

c. Il est probable qu'il y aura des troubles après les élections.
Il est peu probable qu'il y ait des troubles après les élections.

d. Il est probable que les combats feront rage dans les régions libérées.
Il est peu probable que les combats fassent rage dans les régions libérées.

7

a. Il est possible que la pollution de l'air soit la question la plus préoccupante.
Il se peut que la pollution de l'air soit la question la plus préoccupante.
Il est impossible que la pollution de l'air soit la question la plus préoccupante.

b. Il est possible que la propreté de la mer devienne le problème majeur.
Il se peut que la propreté de la mer devienne le problème majeur.
Il est impossible que la propreté de la mer devienne le problème majeur.

c. Il est possible que les espaces verts fassent défaut dans les nouvelles villes.
Il se peut que les espaces verts fassent défaut dans les nouvelles villes.
Il est impossible que les espaces verts fassent défaut dans les nouvelles villes.

d. Il est possible que l'urbanisme sauvage enlaidisse certains quartiers.
Il se peut que l'urbanisme sauvage enlaidisse certains quartiers.
Il est impossible que l'urbanisme sauvage enlaidisse certains quartiers.

8

1 a ; 2 c ; 3 g ; 4 e ; 5 f ; 6 d ; 7 b.

9

a. Il faudra que le Premier ministre dise la vérité.

b. Il fallait que le ministre connaisse parfaitement le dossier.

c. Est-ce qu'il faut que les conservateurs soient mis au courant ?

d. Il ne fallait pas que les progressistes fassent des concessions.

e. Il ne faudrait pas que les grévistes aillent jusqu'au bout.

10

a. Les autorités devraient apprendre la vérité.

b. Le chef de l'entreprise a dû recevoir les syndicalistes.

c. Les ouvriers ne devaient surtout pas occuper l'usine.

d. Tous les partis doivent-ils se mettre d'accord ?

e. Ne devra-t-on pas déposer bientôt un préavis de grève ?

11
a. Il est important que tu sois au courant de la décision.

b. Il importe peu que tu répondes tout de suite.

c. Il n'est pas nécessaire que tu fasses partie du comité.

d. Il serait nécessaire que tu comprennes bien la loi.

e. Il était obligatoire que nous respections la limitation de vitesse.

12
a. Il me semble que la pollution est le plus grand danger pour l'humanité.
La pollution est le plus grand danger pour l'humanité, me semble-t-il.

b. Il me paraît que la drogue est un des risques les plus redoutables.
La drogue est un des risques les plus redoutables, me paraît-il.

c. Il nous semble que les centrales nucléaires constituent une menace pour la santé de toute la population.
Les centrales nucléaires constituent une menace pour la santé de toute la population, nous semble-t-il.

d. Il me paraît que le mouvement écologiste a pris plus d'importance que les partis politiques traditionnels.
Le mouvement écologiste a pris plus d'importance que les partis politiques traditionnels, me paraît-il.

13
a. Il vaut mieux que vous préserviez les ressources naturelles.

b. Vaudrait-il mieux que l'entreprise se mette à analyser les perspectives d'un développement durable ?

c. Il suffit qu'on établisse une gamme de possibilités.

d. Il ne suffirait pas que nous prenions des mesures urgentes.

e. Il conviendrait que la génération future construise monde plus simple.

f. Ne convient-il pas que nous réaffirmions le sens de vie ?

14
a. Une divergence profonde est perçue entre les nég ciateurs.

b. Des solutions réactionnaires sont choisies.

c. Aucun traité d'amitié n'est signé.

d. Aucun échec important n'est constaté.

e. Les nouvelles propositions ont été rendues publiques.

f. Les conclusions du rapport ont été vivement critiqué

g. Le rapport n'a pas été remis au ministre.

h. La composition du nouveau gouvernement n'a été bien accueillie.

15
a 4 ; b 1 ; c 7 ; d 2 ; e 9 ; f 10 ; g 3 ; h 5 ; i 6 ; j 8.

MISE EN PLACE

1
Exemples :
La terre est probablement en train de mourir.
Il est probable que la terre est en train de mourir.
Il est peu probable que la terre soit en train de mourir.
Il se peut que la terre soit en train de mourir.

2
Exemple :
La terre est menacée par la pollution.
La terre n'est pas du tout menacée par la pollution.
Je doute que la terre ne soit pas du tout menacée par pollution.

UNITÉ 10

Raconter le passé

FAÇONS DE DIRE

1
a. **Expressions dans le texte :** Il ne fait pas de doute qu' ; Par conséquent ; Il en résulte qu' ; Voilà pourquoi ; Cela prouve que ; Ces arguments montrent bien qu' ; comme preuve.

b. **Expressions équivalentes :** Il est incontestable qu' (une capitale...) ; Pour ces raisons, (elle doit...) ; Il en ressort qu'(elle fait...) ; Par conséquent, (Paris a...) ; Cela montre que (les gens...) ; Ces arguments révèlent clairement qu'(il ne faut pas...) ; pour plus de preuves (la tour Eiffel... est devenue...).

c. Réponse personnelle

2
Réponse personnelle

3
a. Vous réclamez l'annulation du rendez-vous.

b. Nous demandons la confirmation de la réunion.

c. J'exige la réparation de l'appareil.

d. Vous conseillez la réservation des places.

e. Ils acceptent l'augmentation des salaires.

f. Elles signalent la réduction des prix.

g. Nous apprécions la baisse des tarifs.

h. J'accepte l'annonce du résultat.

i. L'achat de l'entreprise est décidé.

j. La vente de l'usine est impossible.

k. L'addition des chiffres est longue.

l. La garantie des conditions est obligatoire.

m. Le paiement de la facture est urgent.

n. Le remboursement des coûts est nécessaire.

o. L'envoi des échantillons est prévu.

p. La livraison des produits est comprise dans le prix.

GRAMMAIRE

a. En 1346, la guerre éclata entre les Français et les Anglais.
b. Des messagers apportèrent des nouvelles de la bataille.
c. Saint Louis s'occupa des gens pauvres et malades.
d. Les Normands réussirent à vaincre les Gaulois.
e. Du temps des Croisades, les gens partirent par milliers vers Jérusalem.
f. Les Francs s'établirent dans les régions au nord de la Gaule.
g. Le chevalier Noir attendit son adversaire de pied ferme.
h. Les bourgeois de Calais défendirent leur ville contre les Anglais.

a. Les Romains envahirent la Gaule.
b. Les Gaulois s'unirent pour chasser les Romains.
c. Vercingétorix se déclara leur chef et remporta quelques victoires.
d. L'armée de César entoura Vercingétorix et ses guerriers dans la ville d'Alésia. Les Gaulois manquèrent de nourriture.
e. Vercingétorix monta sur son plus beau cheval et se présenta devant César. Il jeta ses armes à terre et se constitua prisonnier.

a. Ils n'osèrent pas attaquer le château fort.
b. Il ne dormit pas longtemps.
c. Il ne perdit pas la bataille.
d. Ils ne démolirent pas les fortifications.
e. Ils ne repartirent pas victorieux.
f. Ils ne s'arrêtèrent pas dans la vallée.
g. Il ne le choisit pas comme successeur.
h. Il ne leur obéit jamais.
i. Ils ne trouvèrent rien et ne rencontrèrent personne.

a. Sainte Geneviève de Paris eut le courage de poursuivre ses œuvres charitables pendant le siège de Paris.
b. En 1783 les Parisiens eurent la surprise de voir les frères Montgolfier survoler leur ville en ballon.
c. Louis Pasteur eut du succès dans son travail sur la vaccination.
d. Leurs découvertes eurent une influence primordiale sur la génération d'avant-guerre.
e. Les guerres de religion eurent lieu au XVIe siècle.
f. Il n'eut pas le courage de continuer.
g. Ils n'eurent rien à manger.
h. Ils n'eurent jamais le temps de renforcer les barricades.

a. Clovis fut un roi fort, brave et rusé.
b. En six ans, les Romains furent les maîtres de la Gaule
c. Les jongleurs du Moyen Âge furent renommés pour leur audace.
d. Daumier fut un peintre et un dessinateur du XIXe siècle.
e. Le pays fut envahi par l'armée du roi.

f. Les blessés ne furent pas transportés par des brancardiers.
g. Le commerce fut encouragé par Colbert.
h. Les prisonniers politiques ne furent jamais amnistiés par le nouveau Président.

6
a. Charlemagne alla lui-même visiter l'école de son palais.
b. Vincent de Paul vit avec pitié la souffrance des pauvres dans les rues de Paris.
c. Au IXe siècle la Normandie devint l'une des plus riches provinces de France.
d. En 885 les Normands mirent le siège devant la ville de Paris.
e. En 1412 Jeanne d'Arc naquit à Domrémy.
f. Bayard, le « Chevalier sans peur et sans reproche », vécut de 1475 à 1524.
g. François Ier fit construire le château de Chambord.
h. Les Parisiens prirent la Bastille après quatre heures de combat.
i. Louis XVI s'aperçut de la colère du peuple.
j. Marie-Antoinette mourut dignement sous la guillotine.
k. Les Grenadiers de la Grande Armée suivirent leur « Petit Tondu » avec une loyauté totale.
l. Les conseillers ne dirent pas au roi la vérité sur le complot.
m. Il crut entendre l'explosion d'une grenade et dut se protéger.
n Sa fiancée lui écrivit sa dernière lettre le 14 septembre 1944.
o. Elle ne sut jamais comment il mourut.

7
a. Les grands seigneurs profitèrent de la mort de Henri IV pour rejeter l'autorité royale.
b. Devenu ministre, Richelieu fit démolir leurs châteaux forts.
c. Il interdit aux nobles de se battre en duel.
d. Deux jeunes nobles se moquèrent de lui et vinrent se battre devant son palais.
e. Richelieu les condamna à avoir la tête coupée.
f. Les seigneurs comprirent cet avertissement et ne désobéirent plus au ministre puissant.
g. Richelieu lui-même dirigea le siège de La Rochelle, capitale des protestants.
h. Il empêcha la livraison de provisions par mer.
i. Le siège se prolongea près d'un an.
j. Des milliers de protestants moururent de faim.
k. Les protestants se rendirent et Richelieu ordonna la destruction des fortifications.
l. Cette victoire fut décisive.
m. Louis XIII devint enfin maître dans son royaume.

8
a. En 1940 l'armée allemande pénétra en France.
b. Les Allemands écrasèrent les troupes françaises.
c. L'aviation allemande bombarda les villes et les villages.
d. Soldats et civils se sauvèrent devant l'envahisseur.
e. La France demanda la paix.
f. Les Allemands s'établirent à Paris.
g. Les habitants des villes eurent souvent faim.
h. Les jeunes gens durent travailler dans les usines allemandes.
i. La France connut une grande détresse.
j. Le Général de Gaulle se rendit à Londres.

k. Grâce à ses émissions à la radio, il rassembla le peuple français.

l. Les Français commencèrent des mouvements de résistance.

m. Les résistants furent de plus en plus nombreux.

n. En 1944 les Allemands connurent à leur tour la défaite.

o. À l'est de l'Europe les armées soviétiques écrasèrent les troupes allemandes.

p. En 1944 les Anglais et les Américains débarquèrent en Normandie.

q. L'ennemi dut reculer devant cette offensive.

r. La nuit du 24 au 25 août, Paris accueillit avec joie les chars français de la division du Général Leclerc.

9

a. La petite fille s'en alla par le chemin le plus long. Elle cueillit des fleurs, elle ramassa des noisettes, elle dit bonjour aux lapins. Le loup arriva le premier chez la grand-mère.

b. Elle prit le soulier de verre et elle le mit à son pied devant les yeux étonnés de ses deux sœurs. C'est ainsi qu'elle devint la princesse de son pays.

c. Le prince entra dans le château. Il découvrit plusieurs chambres pleines de gentilshommes et de dames, tous endormis. Il vit enfin la belle princesse endormie. Il s'approcha d'elle et se mit à genoux auprès d'elle. Alors, la princesse s'éveilla.

d. Quand le chat reçut sa récompense du maître, il se leva bravement, il prit son sac, le ferma avec ses deux pattes de devant, et repartit sur les routes.

10

« Le jour où Thomasine revint chez elle, on commença à lui poser des questions à propos de ses aventures.
– Où est-ce que tu es allée ? demanda un de ses frères.
– Qu'est-ce que tu as fait ? ajouta sa sœur.
– Qu'est-ce que tu as vu ? dit son père.
La mère de Thomasine resta silencieuse un moment, puis elle posa une question :
– Pourquoi est-ce que tu n'as pas écrit ?
– Je n'ai pas eu le temps, déclara la fillette.
– Tu as dû voir beaucoup de belles choses, dirent les enfants ensemble. Raconte !
– Oui, en effet, répondit Thomasine. Mais ce soir je suis fatiguée. Demain !
Cependant ses frères et ses sœurs refusèrent d'attendre, et Thomasine raconta son aventure. »

11

« Cet été-là, ma famille et moi nous passions nos vacances au bord de la mer, comme d'habitude. Le matin, nous partions pour la plage qui se trouvait juste devant la maison que nous louions. Un jour, nous décidâmes d'aller à la pêche aux crabes. Nous prîmes un panier, nous nous dirigeâmes vers les rochers que la mer découvrait complètement quand elle était basse, comme ce matin-là, et nous commençâmes notre pêche. Nous étions si absorbés par notre tâche que nous ne nous rendions pas compte à quel point nous nous éloignions du rivage. Soudain, nous vîmes que la mer était en train de remonter, et que nous ne pouvions déjà plus regagner la plage. Alors nous nous mîmes à crier, nous appelâmes à l'aide. Heureusement, un pêcheur nous entendit et vint nous sauver avec sa barque. Après cette aventure, le reste des vacances se passa tranquillement sur la plage. »

12

a. « J'ai vu un documentaire extraordinaire sur FR▮ dit-il.

b. « Oui, j'ai entendu un commentateur en parle▮ matin à la radio », répondit-elle.

c. « Est-ce que vous l'avez regardé ? », demanda-t-il.

d. « Pas entièrement, je ne me sentais pas très▮ forme, » répondit-elle.

e. « Rien de grave, j'espère ? » se rassura-t-il.

f. « Non, c'était un petit malaise qui m'a empêché▮ voir tout le film, » soupira-t-elle.

g. « Quelle partie est-ce que vous avez vue ? » reprit-i▮

h. « J'ai raté le milieu du film, » se lamenta-t-elle.

i. « Quelle a été votre impression générale ? » répé▮ il.

j. « Je n'ai pas très bien compris la fin, » réplic▮ t-elle.

k. « En effet c'était difficile à comprendre sans avoi▮ le milieu, » conclut-il.

MISE EN PLACE

1

a. **Imparfait :** avais, caressait, expliquait, por▮ aimais, résistait, se trompait, étais, enivrait, en▮ voyais, célébrais.
Passé simple : décida, reçut, parut, sautai, dit.
Présent : sommes, vais.
Futur : amusera.
Plus-que-parfait : avais grandi.
Conditionnel : aurais, se découperaient, se dép▮ rait, m'enrichirais.

b. Réponse personnelle

2

En 1451 Christophe Colomb naquit à Gênes. De 14▮ 1468, il fit ses premières navigations. De 1476 à 1▮ Colomb alla au cap Saint-Vincent, en Irlande e▮ Islande. En 1481, Jean II devint roi du Portugal. ▮ 1483 à 1484, Jean II refusa le projet de voyage ▮ Colomb. En 1487, la Reine Isabelle refusa de nou▮ d'accepter le projet de Colomb. En 1489 Colomb o▮ en vain ses services à l'Angleterre et à la France. ▮ 1492, Martin Behaim fabriqua à Nuremberg le pre▮ globe terrestre. Le 3 août, Colomb partit de Palos. L▮ octobre, il découvrit l'Amérique. Colomb débarqua▮ l'Ile de Guanahani, aux Bahamas. En 1493, le 5 ma▮ retourna à Palos. Le 31 mars, il fit une entrée triomp▮ à Séville. Le 25 septembre, Colomb partit de Cadix ▮ son deuxième voyage. Il fonda la ville d'Isabela, le ▮ Saint-Thomas et explora la Jamaïque et le littoral su▮ Cuba. En 1496, Colomb retourna à Cadix. En 1497, ▮ son troisième voyage : il découvrit la terre fer▮ l'embouchure de l'Orénoque. En 1501, Colomb réd▮ *le Livre des prophéties*. En 1502, Colomb entreprit ▮ quatrième voyage en partant de Cadix. Il arriva ▮ Honduras, puis à Cuba. Il fit naufrage à la Jamaïqu▮ regagna Hispaniola puis l'Espagne en 1504. En 1▮ Christophe Colomb mourut à Séville.

3

Réponse personnelle

Tests d'auto-évaluation 8-10

UNITÉ 8

1. Il leur a dit d'écrire
2. Il nous a répété de venir de bonne heure.
3. Il t'a recommandé de partir vite.
4. Il lui a conseillé de sortir un peu plus souvent
5. Il leur a ordonné de l'attendre devant la mairie.
6. Votre mère a dit de ne pas recommencer.
7. L'infirmière a conseillé de ne pas rester trop longtemps.
8. Elle a demandé quand je rentrais de vacances.
9. Il m'avait demandé pourquoi je n'avais pas téléphoné.
10. Il lui a demandé s'il voulait faire les courses.
11. Il lui a demandé ce qu'on attendait.
12. Ils ont voulu savoir ce je faisais là.
13. Elle a voulu savoir si nous étions prêtes.
14. Il m'a dit qu'ils étaient allés à Toulouse le mois précédent.
15. Elle leur a dit qu'elle rentrerait vers 9 heures, si tout allait bien.
16. Il m'a raconté qu'il y avait moins de touristes qu'avant.
17. On nous a affirmé qu'il avait fait beau le soir précédent.
18. Ils m'ont déclaré qu'ils allaient me parler d'un projet le lendemain.
19. Elle m'a dit qu'elle avait été très malade.
20. Tu m'as déclaré que tu aurais aimé être à ma place.
21. Il m'avait annoncé qu'il m'enverrait le courrier le lendemain.
22. Ils t'ont dit qu'ils allaient gagner 1 000 francs ce jour-là.
23. Vous m'avez affirmé qu'elle étaient parties trois jours avant.
24. On a répondu qu'on venait de voir le défilé.
25. Il a écrit que les marchandises étaient bien arrivées l'avant-veille.

UNITÉ 9

26. Nous doutons qu'il fasse mieux la prochaine fois.
27. On doute du résultat du vote.
28. Vous doutez que nous connaissions la réponse bientôt.
29. Ils doutent que tu puisses gagner.
30. Je doute que tu aies raison.
31. Il n'est pas évident qu'il y ait un fort taux d'abstention.
32. Il n'est pas vrai que cet athlète soit le meilleur de sa catégorie.
33. Il n'est pas prouvé que le candidat dise la vérité.

	il défend	il défendra	il défende	de défendre
34. Nous sommes convaincus que	✗	✗		
35. Certainement	✗	✗		
36. Sans aucun doute	✗	✗		
37. Nous avons l'impression que	✗	✗		
38. Il est probable que	✗	✗		
39. Il est possible que			✗	
40. Il se pourrait que			✗	
41. Il est certain				✗
42. Il est peu probable que			✗	
43. Nous ne sommes pas sûrs				✗
44. Il n'est pas impossible que			✗	
45. Il est impossible que			✗	

46. Une guerre éclata entre le roi de France Philippe VI et le roi d'Angleterre Édouard III.
47. La bataille de Crécy fut un désastre pour les seigneurs français.
48. Les seigneurs français, braves mais indisciplinés, perdirent la bataille.
49. Cette bataille marqua le début de la guerre de Cent Ans.
50. Impatients de se battre, ils attaquèrent furieusement, sans ordre.
51. L'armée anglaise se rangea sur la colline en face derrière un fossé.
52. Les chevaliers français arrivèrent devant le camp anglais.
53. Les soldats reçurent l'ordre de descendre la colline.
54. En 1944 les forces alliées débarquèrent en Normandie.
55. De nombreux combattants moururent pendant la bataille.
56. La même année Paris attendit l'arrivée des forces de libération.
57. Les résistants vinrent les aider.
58. Les Parisiens eurent la joie de redécouvrir la liberté.
59. Partout dans la ville, les gens firent la fête en dansant et en chantant.
60. Les forces alliées réussirent ensuite à libérer la France.
61. En 1969 un événement scientifique de portée historique eut lieu.
62. On vit l'arrivée des hommes sur la lune.
63. Neil Armstrong descendit le premier du satellite.
64. Les gens regardèrent ce moment sur les écrans de télévision.
65. On ne prit pas la mesure des difficultés rencontrées par les astronautes après cet exploit qui émerveilla le monde entier.

Imprimé en France par I.M.E. - 25110 Baume-les-Dames
Dépôt légal : 35855-06/2003
Collection n° 23 - Édition n° 05
15/4869/2